崩れる

結婚にまつわる八つの風景

貫井徳郎

角川文庫
16735

目次

崩れる

kuzureru

――自分ではきっかけはなんだったと思いますか。

「……よくわかりません。長い間に少しずつ溜《た》まっていたんだろうと思います。でも今にして思えば、あの電話がひとつのきっかけとなったのかもしれません」


その電話があったのは、金子《かねこ》家が遅い夕食を摂《と》っている最中だった。

テーブルの上の子機は、一番近くにいた息子の義弘《よしひろ》が取り上げた。義弘は無愛想に、

「ああどうも、ご無沙汰《ぶさた》してます」などと応じて、

「近原《ちかはら》さん」

と名前だけを告げて芳恵《よしえ》に回した。

光子《みつこ》から電話があるのは久しぶりだった。気分屋の光子は、機嫌のよいときと悪いときの差があまりにも激しいので、こちらからはなかなか電話がしにくい。向こうからかかってきたということは、今日はご機嫌なはずだった。それとも、いつものように亭主の愚痴

か。

芳恵は箸《はし》を置いて、口の中の物を飲み込んでから、「久しぶりね」と話しかけた。

向かいに坐《すわ》る夫の浩一《こういち》にちらと視線を向けると、案の定面白くなさそうな顔でぼそぼそと茶碗《ちゃわん》をかき込んでいる。偏屈な性格の浩一は友達が少なく、たまに芳恵への電話が入るといつも不機嫌そうな顔をするのだ。その狭量な夫の態度に軽い嫌悪を覚えながらも、芳恵はまったく気づかぬふりで光子の声に耳を傾けた。

「元気？　もしかして、食事中だったかしら」

声の調子からすると、どうやら光子の機嫌はよいようだった。虫の居所が悪いときは、こちらの都合などいっさい斟酌《しんしゃく》しない。高校以来、三十年もの付き合いになると、相手の発するひと言だけでたいていのことは理解できた。

「かまわないわよ。どうせ終わるところだったから」

時計を見ると、時刻は八時二十分を回っていた。こんな時間に夕食を摂っている方が悪い。専業主婦で暇を持て余している光子は、もうとっくに後片づけまで済ましているところだろう。だがパートがある芳恵は、仕事を終えて買い物をし、帰ってきてからすぐに食事の支度に取りかかっても、どうしてもこんな時間になってしまうのだ。

義弘と浩一は、自分たちだけ食べ終えると、さっさと各自の部屋に行ってしまった。残された汚れた食器を見ていると、改めて一日の疲れを肩に感じた。

光子はいつものように、毒にも薬にもならないことをぺらぺらとひとりで喋《しゃべ》りまくった。そのほとんどは最近あった些細《ささい》なことばかりで、いちいち目くじらを立てるほどのことでもないのだが、光子は必ず最後に「いやになっちゃう」と付け加えた。芳恵は最近、その「いやになっちゃう」が「いいでしょう、羨《うらや》ましいでしょう」と聞こえるような気がしていた。なにしろ末っ子の高校生の男の子が、学校の進路指導で東大を受けろと言われたことまでが、「いやになっちゃう」なのだ。光子に言わせれば、自分も息子も変な期待を持ってしまうのがいやなのだということだが、聞いている芳恵にしてみれば一度でもいいから感じてみたい悩みだった。

光子は社会人の娘を筆頭に、大学生と高校生の息子がいる。それぞれが一流大学、一流会社に入り、前途は洋々と言えた。それに対しうちの息子は……、幾度も考えまいとしてきたことをまたしても繰り返してしまい、芳恵はいささか光子との会話を鬱陶《うっとう》しく思い始めた。

三十分ほども話し続けただろうか、光子の方にキャッチホンが入り、いったん保留にされた。すぐに電話は切り替わり光子の声が聞こえたが、

「ごめんなさい。ちょっと切れない電話が入っちゃったのよ。また電話するわね」

さしてすまなそうでもなく、そう言った。

「うん、いいわよ。電話くれてありがとう」

少しほっとした思いが心の隅にあるのを自覚しながら、芳恵はそれをおくびにも出さず応じた。もう九時に近い。これから食器を洗って風呂《ふろ》に入れば、上がった頃には寝る時刻になってしまう。自分の時間などはまるでなかった。

適当におざなりの挨拶《あいさつ》をして電話を切ろうとしたときだった。光子は「そうそう」と、さも今思い出したといった調子で軽く付け加えた。

「うちね、千葉の田舎に家を買ったのよ。結婚二十五年目にして、ようやくマイホームが持てたってわけね。もういやになっちゃう」

「えっ？」

芳恵は思いがけない相手の言葉に、ほとんど呼吸すら忘れて受話器を握り締めていた。一方的に通話を切られてからも、何を告げられたのかほとんど理解が追いつかないほどだった。

高校の頃は大勢いた友達のうち、光子とだけ縁が続いていたのには理由がある。子供の出来にこそ差があるものの、互いの境遇——もっと端的に言えば生活ランク——が非常に近い位置にあったからだ。光子の結婚相手は、冴えない一介の地方公務員だった。公務員だから不況にこそ強いものの、給料の額はたかが知れている。子供の学費捻出《ねんしゅつ》に汲々《きゅうきゅう》としているのは同じだった。実はよくよく考えれば、あちらは子供三人、こちらはひとりだけであり、その負担も三倍以上違うはずであるにもかかわらず、光子は一時パートをしただけでまた専業主婦に戻ってしまったのだから、同じ生活レベルとはとうてい言えない。その彼我の差を象徴するのが、光子の「いやになっちゃう」なのだということには薄々気づいていたが、芳恵はこれまで何も考えないようにしてきたのだった。考えれば自分の境遇がよりいっそう惨めになることはわかりきっていた。そのための、いわば《自衛本能》であった。

芳恵が光子を自分と同列と考えていた大きな理由のひとつが、互いに借家住まいであるという点だった。芳恵は都営住宅、光子は民間の賃貸マンションという違いはあっても、根なし草であることに変わりはない。その認識は互いの暗黙の契約であり、一生破られない強固な絆《きずな》であるはずだった。

それを光子は、大したことではないような口調であっさりと破った。自分ひとりだけ抜け駆けして、しかもそれをしれっとした声で自慢したのだ。電話をかけてきた本当の目的も、それを告げるためであったのは間違いない。それが証拠に、またしても最後に「いやになっちゃう」と言ったではないか。あれは疑いようもなく、「羨ましいでしょう」の同義語だった。

しばしの自失から立ち戻ると、時刻はすでに九時半になろうとしていた。目の前には夫と息子が食い散らかした食べ物の残骸《ざんがい》が残っていた。

――あなたはご主人と結婚されるとき、その職業についてはどう考えていたのですか。

「……もう、忘れてしまいました。二十年以上も前の話ですから。でもたぶん、若い娘らしい幻想を抱いていたのだろうと思います。幻想に過ぎないとわかったのは、結婚してすぐのことでしたけど」


仕事が追いつかないので残業してくれないか、と頼まれたのは、あと一時間で帰宅できるという午後四時過ぎのことだった。ベルトコンベアの向こうに積み上がっている段ボールの数を見れば、今日は残業を頼まれるのは予想がついたが、もしや明日に回されるのではないかという淡い期待もあった。

「一時間しかできませんけど」

不機嫌な色を隠さず答えると、主任はそれでもかまわないと、手を合わせて頭を下げた。この主任の懇願にはいつも騙《だま》されてしまう。結局今日も、最低二時間は残業させられてしまうことだろう。

両隣の人に断って、帰宅が遅れる旨を知らせるために、ピンク電話に向かった。十円玉を投げ込みダイヤルすると、嬉《うれ》しそうな夫の声が応じた。

それに対し「あたし」と言うと、夫は掌《てのひら》を返したように無愛想になった。仕事の依頼かと期待したのだろう。芳恵が残業で遅くなると告げると、その声はさらに暗く沈んだ。

「いつもいつもご苦労なことだな」

嫌みたらしくそんなことを言う。夕食が遅くなるのが気に食わないのだ。それならば自分で作って食べてくれればと思うが、浩一ができる料理はせいぜいゆで卵程度のものだ。生活能力が完全に欠如しているという点では、浩一の右に出る者はいないのではないかとすら、芳恵は密《ひそ》かに考えている。

電話を切ってから、ふたたびベルトコンベアの前に戻った。頭を下げて両隣の人に中座したことを詫《わ》びる。「いいのよ」と先輩格のおばさんに言われたが、席の前にはしっかりと芳恵の分担分が積み上がっていた。

流れてくる化粧品を箱に詰める作業は、もうかれこれ七年も続けている。最初のうちは流れに追いつけず周りの足を引っ張るだけだったが、今は考え事をしながらでも手が勝手に動くようになった。朝の九時から夕方の五時まで、同じ箱詰めの作業を何百回と繰り返す。片づけても片づけても流れてくる化粧品の群は、それ自体が時の流れのようでもあった。一分一分、機械的に自分の上を流れていく時間と、等間隔に次から次へと目の前に現れる化粧品の瓶は、その単調さという共通点故にあまりにも酷似している。何千回と同じ作業を繰り返しても、いつまでも果てが見えないという点においても。

先刻耳にした、夫の不機嫌な声が甦《よみがえ》る。自分の、機械の一部と化したかのような単調な時の経過に比べ、夫の一日とはいったいどんなものなのだろうか。ふと芳恵は、作業の合間の余裕のうちに、そんなことを考えてみた。毎日が自分の自由になる生活とは、どれほど目眩《めくるめ》く刺激に溢《あふ》れていることだろう。これまでは、意外に退屈なものだという夫の言葉を鵜呑《うの》みにしていたが、いくらなんでも眼前の流れ作業よりはましに違いない。そう考えると、ほんの少し空しさを覚えたが、それでも悲しいことに手だけは意識と別に動き続けていた。

夫の浩一は画家崩れのイラストレーターだった。かつては銀座のさる有名な画商の目に留まったこともあったが、そのルーズな性格のせいで今は完全に見限られている。少しの成功に舞い上がって傲慢《ごうまん》になった若造が生きていけるほど、絵の世界は甘いものではない。自然に浩一の画風は新鮮さを失い、どこにでもあるイラストの域を出なくなってしまった。芳恵と結婚してすぐのことだった。

当時芳恵は、自分の才能一本だけで生きている浩一に、若い娘らしい憧憬《しょうけい》を抱いていた。浩一の自信に溢れた言動も、魅力に富んだものとして耳に飛び込んできたものだ。絵もそこそこの値段で買い手がつき、結婚生活にはなんの不安も持っていなかった。まさかその数ヵ月後に、夫が画家として通用しなくなるとは、一瞬たりとて想像すらしなかった。

浩一は肩書きを画家からイラストレーターに変えざるを得なくなったことが不満らしく、最初の三年ほどは自分を売り込もうとすらしなかった。知り合いのつてで舞い込んでくるお情け仕事を適当にこなしているだけで、積極的に自らこの道で食っていこうという姿勢は微塵《みじん》も見せなかった。子供ができてからはようやく覚悟を決めたようであったが、今度は生来のいい加減さが頭をもたげてきた。出版社から言い渡された締め切りを、幾度も破るようになったのだ。浩一は人との約束は破るためにあると考えているような人間だった。

生真面目な芳恵には、そうした夫の態度は驚き以外の何物でもなかった。人との約束をこうも簡単に破れる人間がいるとは、まったく想像外のことだった。幾度も居留守を使う夫に代わって電話に出たが、その後味の悪さはどうにも拭《ぬぐ》いがたかった。一度それに堪えかねて、仕事の約束くらいはきちんと果たして欲しいと頼むと、浩一は烈火の如く怒り狂った。女のくせに夫の仕事に口を出すなと大声で喚《わめ》き、手加減抜きで芳恵を蹴《け》り倒した。そのときに初めて、自分はカスを摑《つか》んだのかもしれないと芳恵は感じた。

実際浩一は、カスと形容するのが相応の男だった。責任感というものがひどかけらとて存在しない。その無責任ぶりは、人間であるなら最低守るべきラインを軽く超えていた。以前、借りていたアパートの家賃が払えなくなり、どうにかして欲しいと浩一に告げたことがあった。出版社から前借りするなりなんなり、金策の手段はいくつかあるはずだった。にもかかわらず、浩一は自分からは何もしようとしなかった。ある日、あまりしつこく芳恵が窮状を訴えたら、そのままぷいとどこかに消えてしまい帰ってこなくなった。結局その月の家賃は浩一の母親に泣きついて出してもらったものの、夫の行方は杳《よう》として知れなかった。

浩一を見つけてきたのは、まだ幼かった息子の義弘だった。なんと浩一は、近所の公園のベンチで新聞紙を被《かぶ》って寝ていたというのだ。それを聞いたとき芳恵は、怒りよりもまず唖然《あぜん》とした気持ちに襲われた。公園のベンチに寝ていて、いったい夫はどうしようと考えていたのか。具体的な金策にも走らず、ただ芳恵の前から逃げていれば事態がどうにかなるとでも楽観していたのか。どこかの女の家に転がり込むほど甲斐性《かいしょう》のある男だとは思っていなかったが、まさかこれほどのカスだとは考えもしなかった。

今住んでいる都営住宅に入居するに当たっても、とんでもないひと悶着《もんちゃく》があった。当時芳恵は、夫の微々たる稼ぎだけではどうにも家計のやりくりができず、せめて家賃の安い都営住宅に入居できないだろうかと、幾度も入居者募集に応募していた。都営住宅に住むには、高収入を得ていないことが条件となる。それを証明するには、自由業者である浩一は毎年きちんと確定申告をする必要があった。芳恵はそのことを口を酸っぱくして説明し、幾度も浩一に申告をしたかと確認した。そのたびに夫は「した」と答え、芳恵もその言葉をただ鵜呑みにしていた。思えば芳恵の認識も甘かったのだが、まだ本心から浩一をカスだと見做《みな》す勇気を持てないでいたのだ。自分の夫をどうしようもないカスだと認めてしまうのは、いくらなんでもあまりに悲しすぎた。

ところがいざ抽選に当たり、都心の一等地に引っ越せる段になって、夫の収入証明が出ないと区から告げられた。そんなことがあるかと区役所に抗議に行ったところ、過去数年、確定申告がされていないことを教えられた。意気込んで出かけた芳恵は、その事実にただ呆然《ぼうぜん》としていたが、それを不審に思った窓口の係は、

「こちらからも通知を送っていましたから、奥さんがご存じないのはおかしいですね」

などと暗に芳恵の非を咎《とが》めるようなことを言った。

なんのことはない。日中家にいる浩一が、そうした通知をすべて握り潰《つぶ》し、芳恵の目に入らないようにしていたのだ。あのどうしようもない無責任さを考えれば、それくらいのことはあってもおかしくなかった。浩一は例の調子で、抽選に当たった場合のことなどまるで考えもしなかったのだ。

帰宅してみると、またしても浩一はどこかに姿をくらましていた。今度は心配などしてやらなかった。ふたたび浩一の母親に泣きつき、町内会で力を持つその顔を利用して都議会議員に働きかけてもらい、どうにか二日間の猶予をもらえることになった。芳恵はパートを休み、ありとあらゆる領収書の類《たぐい》を集め、それでもどうしても払わなければならなくなった税金を借金して払い、ようやくの思いで入居の権利を確保した。すべてを片づけたときには、心も体もボロ雑巾《ぞうきん》のようになっていた。浩一は事態が落着したときになってよ

うやく、何食わぬ顔で戻ってきた。もはや咎める言葉を発する気力すら、芳恵は持ち合わせていなかった。

当然ながら、離婚を考えたことも再三だった。だがそれを押し留《とど》めたのは、ひとえに息子の義弘の存在だった。自分自身が母ひとり子ひとりで育った芳恵は、義弘にだけは片親の不憫《ふびん》さを味わわせたくはなかった。どんなに人間のカスでも、父親の存在は義弘にとって大きいはずだと考えていた。だからこそ、義弘が大学に入るまでのことだと己に言い聞かせながら、最初の数年を過ごした。義弘が大学に入れば、就職の際の心証を考えてしまった。そしていざ息子が勤めに出れば、義弘が結婚するまでは我慢しなければと思い始めている。考えてみれば、自分の言い訳が作り出している単調な毎日でもあった。

ベルトコンベアは、いつ停まるともなく動き続けている。

――義弘さんは、浩一さんのことをどう考えていたのですか。

「毛嫌いしていました。それもこれも、あたしが義弘に愚痴をこぼしすぎたせいかもしれません」

それを告げられたのは、夕食の後片づけを終え、いつものように包丁を研いでいるときのことだった。

包丁を研ぐのは、母から耳に胼胝《たこ》ができるほど吹き込まれた心がけのためだった。母は芳恵が結婚するとき、女たるもの包丁だけは常に切れるようにしておかなければならないと、分不相応に高い包丁と砥石《といし》を持たせてくれた。母は自分自身、まるで趣味のように包丁を研ぎ続けていた女だから、芳恵もその言葉をなんの抵抗もなく受け入れていた。以来二十数年、芳恵は一週間に一度は包丁を研いでいる。

「……おれ、会社を辞めることにしたよ」

背後からやってきた義弘は、前置きもなく唐突にそう告げた。

「えっ？」

一瞬、何を言われたのかわからず、芳恵は手を休めて振り返った。

「だから、会社を辞めるって言ってるんだよ」

義弘は少し苛立《いらだ》ったように繰り返し、「そういうこと」と短く言うと、それで話は終わったとばかりに自室に戻ろうとした。

「ちょっと、どういうこと」

慌てて義弘を引き止めた。少し陰気なところのある義弘は、親に対しても常に口数が少ない。言葉だけでは息子の言わんとするところがわからないことは、しばしばあった。

「会社を辞めるって……、まだ入社して二ヵ月じゃない。辞めてどうしようって言うの」

背中に言葉を浴びせると、義弘は面倒そうに戻ってきて芳恵の斜め前に腰かけた。

「やっぱりおれ、銀行員は合わない。ああいう仕事はもういやだ」義弘は表情も変えず、天気の話でもするように淡々と言った。「母さんの期待を裏切って悪いけどね」

義弘は偏差値で言えばそこそこの難易度の大学を出て、関東では有名な地方銀行に入行した。できれば都市銀行に入って欲しかったが、義弘の大学と昨今の就職難を思えば贅沢《ぜいたく》は言えない。むしろよく銀行マンになってくれたものだと、小躍りしたい心地だった。

芳恵は自由業の夫と結婚してしまったがための苦労には、ほとほと嫌気がさしていた。友人たちの安定した生活や年に二度のボーナスを、幾度羨《うらや》ましいと思ったか知れない。それだけに息子には、堅実な公務員か銀行員になって欲しかったのだ。

「……辞めてどうするつもりなの」

一度言い出したら聞かない息子の性格は、よくわかっている。ここはいったん、義弘の言いたいことをすべて聞いてやらなければならない。

「やっぱりおれ、アニメーターになるよ。最初からそれが夢だったんだ」

「アニメーター？」

「そうだよ。アニメを作る仕事」

「アニメって、テレビ漫画？」

「そういう言い方はやめてくれないか。アニメはアニメだ」

義弘は不服そうに口を尖《とが》らせて、反駁《はんばく》した。どうも芳恵の言葉にプライドを傷つけられたようだったが、それがなぜなのか理解はできなかった。テレビ漫画はテレビ漫画ではないか。こともあろうに、そんな子供騙《だま》しの仕事がしたいなんて……。

「アニメは子供の見るものじゃないぞ」

芳恵の顔つきから内心の不満を読み取ったのだろう、義弘は憤然としてそう言い募った。なにやら難しげな片仮名の並ぶ題名を列挙し、それらがどれほどの名作か、そしてその制作がいかにやりがいのある仕事かを力説し始めた。

義弘がテレビ漫画を好きなのは知っていた。いつまで経っても子供の見るような番組に熱中し、ビデオに録《と》って保存までしているのには気づいていた。少しは本でも読んで教養を増やして欲しいと思わないでもなかったが、漫画も大学を卒業するまでのことだろうと大目に見ていたのだ。まさかそれを自分の仕事にしたいなどと言い出すとは……。

「どうやったらそのアニメーターってのになれるのよ」

息子の言葉を認めたわけではなかったが、取りあえず宥《なだ》める意味でも質問してみた。息子がどれほど真剣か、測りかねる部分があった。

「取りあえずアニメーション学校に行くよ。そこでみっちり勉強してから、大手のアニメ制作会社を受けてみる」

「アニメーション学校って、専門学校？」

「そうだよ」

義弘はこともなげに言ったが、芳恵はその返事に軽い眩暈《めまい》を覚えた。何が悲しくて、苦労して大学を卒業させてやったのに、まださらに漫画の勉強をするために専門学校に行かせなければならないのか。いったい息子は、何を血迷ってわけのわからないことを言い始めたのか。

「その学費はどうするつもりよ」

「出してよ」義弘は軽い調子で答える。「これまで何もしてくれなかったんだから、せめてそれくらいはいいだろ」

「何を馬鹿なこと言ってるのよ。あんたが大学を卒業して、ようやく楽ができると思ってたんじゃないの。いまさら、また専門学校に行かせるお金なんてないわ」

「貸してくれるだけでもいいよ。十年もしたら返す」

義弘は簡単に言うが、息子の性格からしてそんな約束が守られるとは思えなかった。義弘はいやになるほど父親のいい加減な性格を受け継いでいるのだ。

「馬鹿なこと言ってんじゃないぞ」そこで話に割り込んできたのが、それまで知らん顔をしていた浩一だった。「うちにそんなくだらないことに使う金があるわけないじゃないか」

浩一はだらしなく畳に寝そべり、ただうるさいだけのバラエティー番組を口を開けながら見ていた。その背中に義弘は、むきになって言葉を返した。

「何がくだらないことだよ。あんたの仕事に比べればよっぽど高尚だよ」

「なんだと」

言われた浩一も、唐突な動作で身を起こし顔を向けた。

「ポルノ小説の挿し絵とアニメと、どっちがくだらない仕事なんだよ」

「漫画はしょせん漫画だ。おれの絵と一緒にするな」

「あんたはそんな仕事してても、未《いま》だにプライドだけはあるんだな。そんなプライドはゴミと一緒に捨てちまえよ」

義弘は、相手が父親とは思えぬ辛辣《しんらつ》な口調で言った。また始まった——芳恵は耳を塞《ふさ》ぎたい思いだった。

息子が父親に対しこういう口を利くようになったのは、中学に入ってすぐの頃だった。義弘はまるで、それまでの虐待に復讐《ふくしゅう》するかのように、父親の行動を非難し始めた。浩一は気の弱い性格であるにもかかわらず、それを隠そうとする努力だけは人一倍払った。自分の威厳を保つためなら、まだ幼い息子にすら威張って見せた。パートに出ていた芳恵はしばらく気づかなかったが、義弘は長い間父親の横暴に虐げられていたようだった。浩一は自分が世に認められない鬱屈《うっくつ》を、恥知らずにも息子にぶつけた。トイレの電気をて点《つ》けっぱなしにしたとか、玄関で靴を脱ぎ散らかしただとか、そうした些細《ささい》なことを捉《とら》えてねちねちと義弘をいびり続けた。義弘は父親と一緒にいなければならない日曜日がいやで、用もないのに朝から近所の公園に遊びに行っていたという。日曜日も働いていた芳恵はそれを知らず、後になって義弘から打ち明けられたときは、情けなさで涙が出るほどだった。

浩一にとって息子とは、愛玩《あいがん》用の動物に過ぎないようだった。決して子供が嫌いなわけではない。むしろ親戚《しんせき》の子供などには、目を細めて近寄っていく方なのだ。しかしそれは、犬や猫をかわいがるやり方とまったく同じだった。自分の機嫌がよいときだけ撫《な》で回し、後は顧みようともしない。餌をやることすら煩わしく感じるのだ。ましてそれが、日々成長し大人になっていく人間の子供であれば、なおさらのことだった。

浩一の無責任なかわいがり方は、その軽い口約束に端的に表れていた。自分の懐具合も考えず、ただ子供の機嫌をとるためだけに何かを買ってやる約束をするのだ。約束してもらった子供は大喜びし、浩一になつく。だが浩一は、一日もすればそんな約束など簡単に忘れてしまう。忘れていない子供はいつまでもそれを期待し、そして長い時間をかけて自分が裏切られたことを知る。義弘は幼い頃から、幾度もそうした失望を味わわされてきたようだった。

義弘の我慢が限界に達したのは、ほんの些細なことがきっかけだった。中学に入ってすぐ、パソコンが欲しいと義弘が言い始めると、例によって浩一は安請け合いをした。なんでも浩一の知り合いにパソコンメーカーに勤める人がいて、格安で購入することができるということだった。幾度もそうした約束を裏切られてきた義弘は、当初こそ懐疑的だったものの、絶対大丈夫だと断言する父親の言葉に有頂天になった。父親がその知り合いに連絡をとってくれる日を心待ちにするようになったのだ。

もちろん、そんな義弘の期待は叶《かな》えられることなどなかった。浩一は悪いことをしたという意識もなく、簡単に約束を忘れ去った。そしてまた、今度はステレオコンポを買ってやるなどと義弘に言った。

「いい加減にしてくれよ」

ついに義弘は言葉を荒らげた。息子が父親に反抗したのはそれが初めてのことだった。

「守れない約束なんて、最初からしないでくれ!」

息子に怒鳴られ、浩一は最初ぽかんとした表情を浮かべた。我が子に逆らわれることなど、考えもしなかったに違いない。しかも浩一は、とぼけているわけではなく本当に息子の言うことが理解できなかったようだ。「おれがいつ約束を破った?」などと鉄面皮なことを口にした。

義弘はそれまでの空手形を、いちいち記憶の底から引きずり出して父親にぶつけた。すると浩一は、それらすべてに「今度買ってやる」と約束した。その場限りの欺瞞《ぎまん》。いつもどおりの逃げだった。義弘は早くもその瞬間、自分の父親の心性を見抜いたようだった。そうなれば息子は、もはや父親に対して容赦がなかった。ある日、夕食の食卓で納豆とモヤシ炒《いた》めしか用意できないことがあった。育ち盛りの義弘にはそれだけでは足りなかったようで、露骨に不満の意を表した。すると浩一は、ありもしない威厳が存在すると錯覚したのか、

「そんなにいやなら食わなくていいぞ」

と息子に向かって言い放った。もはや義弘も負けていなかった。

「何言ってるんだ。てめえが働かないから、まともな食事もできないんじゃないか」

息子は父親の無責任さを、ようやく認識し始めたところだった。普通の家庭を知らない義弘は、父親が働かないで家にいるのが正常な姿だと思っていた節がある。だが初めての抵抗以来、浩一がカスに過ぎないことが徐々にわかってきたのだった。

「母さんを日曜日まで働かせて、自分は家の中でごろごろしてるくせに、偉そうなことを言うな！　誰のせいでこんな食事になってると思ってんだよ」

義弘は芳恵が長年言いたいと思っていたことを、胸のすくほどはっきりと代弁してくれた。結局義弘は、その日の食事を抜いて父親に抗議した。

さすがにこれには応《こた》えたのか、浩一がポルノ小説の挿し絵に手を染めるようになったのはそれ以後のことである。ようやく芳恵も、日曜日まで働かずに済むようになった。息子

が理解を示してくれたことは、大きな心の支えともなった。

それ以来、芳恵は息子に対して、浩一への不満を漏らすようになった。都営住宅入居の件や、義弘の学費について知らん顔を決め込んでいることなど、いちいち話して聞かせた。義弘と父親の溝は深まっていくばかりのようだったが、息子が自分の味方についてくれるならばそれもかまわないとすら、芳恵は考えていた。


――無駄なプライドなど捨てちまえ。そうまで言われた浩一は、さすがにぐうの音も出ず黙り込んだ。もともと論理的に反論されれば何も言えないことばかりしてきた夫なのだ。息子との言い合いでは、ここ数年常に負かされてきている。今日もまた、情けなくもごもご口籠《くちごも》って引き下がった。かつてはあれほど守るのに汲々《きゅうきゅう》としていた父親の権威など、今やかけらほども存在していなかった。

「なあ、母さん」義弘は顔を戻して、ふたたび芳恵に語りかけた。「おれはアニメの仕事がしたいんだよ。なっ。おれのやりたいようにやらせてくれよ」

今度は懐柔するような口調で、そう懇願する。きっと義弘は、芳恵が承知するまで頼み続けるに違いない。我意を通さずには済まないその勝手さは、義弘自身が嫌悪する父親の態度にそっくりだった。

義弘が銀行に入行してから二ヵ月、芳恵が味わった幸福感は早くも潰《つい》えようとしていた。

芳恵はその現実から目を逸《そ》らそうと、ひたすら包丁を研ぐのに没頭した。

――その日一日の行動を、順を追って説明してもらえますか。

「……あの日は大変暑い日でした。本当に頭がおかしくなるくらい、それは異常な暑さでした――」

七月十二日のことだった。

仕事を終え工場を出ると、肌に差し込んでくるような日差しに思わずたじろがされた。手で庇《ひさし》を作り空を見上げると、夕方だというのに未だ猛威を失っていない太陽が中空にぶら下がっていた。バス停までの二分ほどの道のりにうんざりしつつ、芳恵は照りつける西日の中に足を踏み出した。

門を出て左に曲がるとすぐ、背後から低いエンジン音が聞こえてきた。振り向くと案の定、バスがこちらに近づいてこようとしている。とっさに腕時計を見たが、まだ時刻表の時間よりは早かった。今日に限って車の流れがよかったに違いない。

慌てて、二百メートルほど前方のバス停に向かって走り始めた。このバスに乗り損ねたら、炎暑の下で十分ほど次の便を待たなければならなくなる。

右手を大きく振り回し、どうにか運転手の注意を惹《ひ》こうとした。乗ろうとする客がいることに気づけば、少しバス停で待っていてくれるかもしれない。芳恵は振り向きながら懸命に足を動かし、遥《はる》か前方に陽炎《かげろう》のように見えるバス停へと急いだ。

バスはゆるゆると、だが着実な速度で近づいてき、そして芳恵を追い抜いた。しばし芳恵は併走し、ここまですれば運転手が気づいてくれるだろうと足を緩めた。こんな猛暑の中、これ以上走らされるのはたまらない。

あと五十メートルで芳恵がバス停に辿《たど》り着くというとき、バスは停留所に近づいた。ブレーキランプが光り、少し速度を落としたのがわかった。芳恵は肩で息をしながら、誰にも聞こえないのは承知で、「すみません」と詫《わ》びを口にした。

思わず暑さも忘れたのが次の瞬間だった。バスはためらうようにバス停に近づいたかと思うと、歩道に接する前に進行方向を右に修正し、そのまま停車せずに行き過ぎてしまったのだ。

芳恵が歩き出したのを見て、乗る気がないと判断したのだろう。バスは黒い排気ガスを一度吐き出すと、あとは躊躇《ちゅうちょ》もせずに速度を上げて走り去ってしまった。

「待って」

声を上げ後を追ったが、もはやバスは停まる気配もなかった。よろめく足取りでバス停に到着したときは、空しい徒労感に貧血さえ起こしそうであった。しばらく呼吸を整え、額に浮いた汗をハンカチで押さえてから時刻表を見ると、次のバスはやはり十分後だった。ため息をつき、無駄とは知りつつ周りを見回した。

この停留所は屋根がなく、待つ者に容赦なく日差しが降りかかる。せめて次のバスまで、どこかの日陰で涼を取れないだろうかと探したのだが、あいにく周囲は殺風景な工場街で、日を遮る庇さえ見当たらない始末だった。

諦《あきら》めて、じりじりと焼き焦がすような激しい陽光の中、次のバスが来るのをじっと待った。首筋から背中にかけて、気持ちが悪いほど汗で濡《ぬ》れそぼち、なんとも不快な感触を残した。にもかかわらず、目を瞑《つぶ》ればすっと頭の中が冷えるようないやな気配があり、このまま意識を失い倒れてしまうのではないかと自分を心配しなければならなかった。

ようやくバスが道の向こうに姿を現したとき、心からの安堵《あんど》の吐息が漏れた。バッグから定期入れを取り出し、一秒でも早く冷房の効く車内に飛び込もうと待ちかまえた。

バスは芳恵の目の前に停車し、空気の抜けるような音とともに扉を開いた。芳恵はタラップを上り、無意識の動作で定期券を示し座席に向かおうとした。

「お客さん」

運転手に声をかけられたのはそのときだった。一瞬、自分のこととはわからず、何があったのかと振り向いて初めて、運転手がこちらに視線を向けているのに気づいた。

「お客さん、定期、切れてるよ」

運転手はぶっきらぼうに、言葉を切ってそう言った。とっさに手の中の定期券に視線を落とす。日付は七月十一日までとなっていた。

そのときになってようやく、一週間前までは定期を買わなければと気にしていたことを思い出した。今朝バスを利用した際は、何も気づかずにやり過ごしてしまった。

「すみません」

無意識に頭を下げて、バッグの中から財布を取り出した。少し狼狽《ろうばい》気味にそれを開け小銭を探ったが、あいにく料金分の硬貨はなかった。

札入れの部分を見て、さらに慌てた。一万円札しか持ち合わせがなかったのだ。

「すみません。一万円札しかないんですけど」

おそるおそる言うと、案の定運転手は渋い顔を隠さなかった。

「困るなあ。バスに乗るときはちゃんと小銭を用意してくださいよ」

運転手は言って、車内放送のマイクを口許《くちもと》に持ってきた。

「恐れ入りますが、どなたか一万円札を崩せる方はいますか」

祈るような思いでその放送に応える人が現れるのを待ったが、車内は何事もないかのように深閑としていた。誰も芳恵の窮状を救ってくれなかった。

「駄目だね。どこかで両替してきてよ」

運転手は突き放すように言った。早く降りてくれないかと言わんばかりの口振りだった。諦めて芳恵は、ふたたび車外に出た。

工場まで戻る気はしなかった。一度出てきた仕事場にもう一度引き返すのは、どうにも心理的に抵抗があった。仕方ないので、三つ先のバス停のそばにあるスーパーマーケットまで歩くことにした。アスファルトの照り返しはまるでフライパンの上に立っているように暑く、これから歩かねばならぬ距離を思うと、坐《すわ》り込みたくなるほどの無力感に襲われた。

玄関を開けると、とたんにむっとする熱気が顔を叩《たた》いた。眉《まゆ》を顰《ひそ》め台所を覗《のぞ》くと、ガスコンロの上には薬缶《やかん》が載っていた。注ぎ口からは狂ったように蒸気が吹き出している。お湯を沸かしているようだ。

何もこんなときにお湯を沸かさなくても――、一瞬にして噴き出した汗にうんざりしながら、芳恵は靴を脱いでガスを止めた。

「お湯、沸いてるわよ」

キッチンと居間を仕切る襖《ふすま》は閉じられていた。夫は閉め切った居間で、クーラーの冷気に浸っているに違いない。熱気の籠《こも》った台所に立っていると、無性に神経が苛立《いらだ》ってくるのを覚えた。

「なんだ、帰ったのか」

襖を開けもせず、声だけで浩一は応じた。台所が今、どれほどの温度に達してるか考えようとすらしていないに違いない。

口を開くのも億劫《おっくう》なので、夫の素っ気ない言い種《ぐさ》には応《こた》えなかった。スーパーで買ってきた物を食卓の上に広げ、それを冷蔵庫の中にしまった。

「お帰り」

後ろから義弘の声が聞こえた。自室から顔を出したようだ。

義弘は結局、芳恵の反対など完全に無視して、あっさりと銀行を辞めた。以来一ヵ月、義弘は失業保険をもらうのだと言って、何もせず家の中でごろごろと過ごしていた。二ヵ月しか会社勤めをしてない者に失業保険が出るだろうかと芳恵は疑問に思ったが、義弘がもらうつもりでいるのだから何も言えなかった。わざわざ芳恵が調べてやるほどのことでもない。

とはいえ、パートから帰ってきて夫と息子に迎えられる心境は、なかなかに複雑だった。夫だけならこの二十余年の生活で諦めもつくが、息子にまで無為の生活を送られてはたまらない。アニメの仕事でもなんでもいいから早く働き口を見つけて欲しいと思うものの、どうも義弘の口振りからすると最低半年は今のままの状態を続けるつもりのようだった。

「あいつ、今日もトイレの電気、点《つ》けっぱなしにしてたよ。おれが小さい頃は、そんなことすれば血相を変えて怒鳴り散らしたくせによ」

義弘は芳恵に近づいてきて、耳打ちするようにこっそりと言った。義弘が家にいるようになって、浩一との摩擦は以前にもましてひどくなったようだった。互いに互いのだらしなさを非難し合っている。よくもまあこれだけ似た親子になったものだと、芳恵などは半分うんざりしながら考えるが、その似たところが近親憎悪を誘うのだろう。いずれにしても、帰ってきて早々に聞きたい話ではなかった。

「ほっときなさい。何を言っても無駄よ」

適当に返事をし、汗に濡れた服を着替えに部屋に向かった。これから軽くシャワーでも浴びて、すぐに食事の支度に取りかからなければならない。生活費を稼ぐのも自分なら、炊事や洗濯をするのも自分なのだ。これならばひとり暮らしとさして変わらない。いや、なまじ働かない男ふたりを養っているだけ、この境遇の方がたちが悪いのではないか。暑さのために半分思考停止に陥っている頭の中を、ちらりとそんな考えがよぎった。

「なあ、今日は暑いから素麺《そうめん》が食いたいな」

芳恵がシャワーを浴び終えると、浩一はそんなことを言った。浩一は戦時中の生まれのくせに妙に食べ物の好き嫌いが多く、いつも献立には悩まされる。その浩一が好んで食べるものが麺類だった。

ふだんであれば、自分から食べたいものを言ってくれるのは大助かりだが、今日のように暑い日の麺類は勘弁してもらいたい。いったい誰が茹《ゆ》でると思ってるのだ。

「ああ、そうだね。おれも食いたい」

声が聞こえたのか、義弘も部屋の中から賛意を示した。ふたりにリクエストされたら仕方ない。芳恵はいったん上げかけた声を飲み込まざるを得なかった。

野菜炒《いた》めと冷や奴《やっこ》、それに炒《い》り卵と葱《ねぎ》を付け合わせとした素麺、と簡単に頭の中で献立を作り、冷蔵庫から材料を取り出した。半ば機械的な手際で野菜を洗い、刻み始める。何も考えられなかった。

二十分ほど一心に調理に没頭し、最後に大鍋《おおなべ》に湯を沸かし始めた。汗が止めどもなく流れる。ふと顔を上げた弾みに、ベランダに干してあった洗濯物に気づいた。家に人がいなかったわけではないのに、誰も取り込んでくれなかったのだ。芳恵は慌てて手を拭《ぬぐ》い、クーラーの効いた居間を横切ってベランダに向かった。

「あら」ガラス窓に手をかけて、芳恵は声を上げた。「ちょっと、窓が開いてるじゃない」

夫に非難の声を向けると、浩一は面倒臭そうに、「ああ」と顔を上げた。唯一の趣味であるテレビの画面に見入り、芳恵の言葉すら耳に入ったようではない。取りあえず洗濯物を取り込んでから、そんな無関心な夫にひと言嫌みを言ってやりたくなった。

「窓を開けっ放しでクーラーしてても、どんどん冷気が逃げちゃうでしょ。ざる状態よ」

「うるさいな」

夫は煩わしげにそう言ったきり、芳恵に視線すら向けなかった。むろん謝る素振りさえない。結婚して二十数年、芳恵は夫が自分の非を認めた姿を見たことがなかった。

洗濯物をまとめて隣の部屋に放り込み、台所に戻った。ぐらぐらと煮えたぎる大鍋の湯は、台所を蒸し風呂《ぶろ》のような状態にしていた。ベランダの方がよっぽど涼しいくらいだ。

素麺の束を取り出して、お湯の中にまとめて放り込んだ。もう少しで、こんな灼熱《しゃくねつ》地獄も終わる。

菜箸《さいばし》で麺をかき回しながら、長葱を刻み始めた。すると夫が、忘れた頃にぶつぶつと言い始めるのが聞こえた。

「人がテレビを見てるのに、窓を閉めなかったくらいで嫌みな女だな」

わざと聞こえよがしに呟《つぶや》いている。浩一は正面切ってものを言うことが少なく、こうして時間が経ってからねちねちと文句を言い出すのが常だった。潔《いさぎよ》さのかけらとてない男だった。

さすがにその言い種にはカチンと来て、ひと言言い返してやろうとしたときだった。

「何言ってんだ。クーラーをしたら部屋を閉め切るのくらい当たり前だろ」

背後から義弘の怒声が聞こえた。振り向くと、硬い顔の息子が部屋から出てきた。義弘は襖を開け、父親に向かって噛《か》みついた。

「あんたは自分ひとりで暮らしてるんじゃないんだぞ。生活の最低のルールくらい守れ！」

おそらく日中は、いつもこんな調子で角突き合わせているのだろう。義弘はもはや相手が父親だという意識すらないようだった。

「いや、おれはただ母さんが……」

「母さんが言ってることは間違ってないだろ！」

浩一が気弱げに言った言葉は、直ちに義弘の怒鳴り声でかき消された。浩一は言い訳にもならない言い訳を、平気で口にする。それを承知している義弘は、浩一に何も言わせないように言葉を重ねた。

「一日中くだらないテレビなんか見てないで、少しは仕事をしたらどうなんだよ。女の裸の絵でもなんでも描いて、家に金を入れてみろってんだ」

「働いてないのはお前も同じじゃないか。自分のことを棚に上げて偉そうなことを言うな」

浩一はまるで子供の喧嘩《けんか》のように、次元の低い言葉で応酬した。

「おれは求職中の身だ。あんたみたいに遊んで暮らしてるわけじゃない」

「二ヵ月しか勤めなかったくせに、何が求職中だ。自分に甘いだけじゃないか」

「てめえなんかこの家を出ていけ！　てめえはもういる必要ない！　どっかに行って、自分の好きなように暮らせばいいじゃないか」

「親に向かってなんてことを言う！　お前こそ出ていけ」

「てめえはなんの権利があってこの家にいるんだ。この都営住宅を当てたのも、入居の手続きをしたのも全部母さんじゃないか。てめえの家じゃない。出てけ」

「お前こそ出ていけ」

暑い、と芳恵は思った。

ぐらぐらと煮えたぎる鍋の湯は、先ほどからひっきりなしに熱い蒸気を吹き出している。体からは濡《ぬ》れ雑巾《ぞうきん》を絞るように汗が噴き出し、それと同時に生きる気力すら流れ出していくようだ。こんな暑い日に素麺を食べようなんて、よくも気軽に言ってくれるもんだ。作る者の苦労を少しは考えているのだろうか。それにしてもこの包丁はよく切れる。トントントントン、リズミカルに動かしているだけで、みるみる切れた葱が山のように溜《た》まっていくではないか。これも常に自分が気をつけて、刃が鈍らないように研いでいるからだ。本当によく切れる、切れる、切れる、切れる、切れる、切れる——。

さくり、という手応えがあった。喉仏《のどぼとけ》に引っかかるかと思ったが、思ったよりも抵抗は少なかった。振り回した包丁は簡単に右から左に抜け、義弘の喉に赤い口を開かせた。

息子は驚いた表情を隠さなかった。ぱくぱくと口を開き、何かものを言おうとしたが、そこからは空気の漏れる音しか聞こえなかった。肺からの呼気が、すべて喉で漏れてしまっているのだろう。そんな様子が滑稽《こっけい》で、芳恵はくすりと微笑を漏らした。

「な、何をするんだ！」

浩一の驚きの声が聞こえたが、芳恵の行動を止めようとはしなかった。芳恵はもう一度義弘の喉に包丁を押し当て、今度は引き切りでさらに傷口を抉《えぐ》ってみた。義弘は泡を吹いて倒れた。

軽く包丁を振って、ついた血を払った。夫に目を転じると、浩一は弛緩《しかん》した表情で立ち竦《すく》み、逃れるように窓に背をつけていた。子供じみた仕種《しぐさ》で、首を小刻みに振っている。眼前の光景に理解が追いついていないようだった。

ゆっくりと近づき、肥満した腹に包丁を突き立てた。浩一は抵抗もせず、ただ悲しげに「ぐう」と小さく唸《うな》った。

包丁を引き抜いて、今度は心臓に突き立てようとした。だが脂肪にまみれた刃は、もはや切れ味を失っていた。仕方ないので台所に戻り、もう一本の包丁を持ってきた。その間に逃げる素振りでも見せるかと思ったが、浩一は自失したように畳にへたりこんでいた。目からは大粒の涙をこぼしている。かわいそうに――芳恵はその姿を見て、そう思った。

包丁の切っ先を胸に当てたときも、浩一は何も言わなかった。とうとう、これまでの結婚生活への反省の言葉は聞けなかった。それを少し残念に思いつつ、芳恵は力を込めた。

夫が痙攣《けいれん》し完全に息絶えたとき芳恵が漏らした言葉は、「ああさっぱりした」というものだった。それは結婚以来、芳恵が初めて口にした台詞《せりふ》だった。

——自分がしたことについて、反省する気持ちはありますか。

「……これでひとりぼっちかと思うと、少し寂しい気はします。でも、あんな家族なら、もう二度と欲しいとは思いません」

怯える

obieru

1

エレベーターのケージに乗り、習慣で階数表示の数字の列を見上げてから、腕時計に目を落とした。時刻はようやく九時になろうとしていた。十一時過ぎまでの残業が続いていた今月のうちでは、まだ早い時刻の帰宅だ。だが中西哲治《なかにしてつじ》は、両肩に重くのしかかる泥のような疲れを感じていた。体力には自信がある方だが、さすがに連日の激務は体に応《こた》えているようだ。疲労の末に倒れたりするのもみっともないので、今日は自主的に早く退社したのだった。

八階で降り、エレベーターホールを右に折れてすぐのドアの前で立ち止まった。呼び鈴を押してから、中からの応答を待たずに鍵《かぎ》を取り出し開錠する。妻の初美《はつみ》が妊娠してからは、玄関への出迎えは無用ということに決めていた。

ところがドアノブを引くと、三和土《たたき》には人の気配がした。細く開けたドアの隙間からは、初美ではない女の声が聞こえる。それを耳にして哲治は、思わず眉《まゆ》を顰《ひそ》めた。疲れて帰宅したときに聞きたい声ではなかった。

「あらあら、どうもこんばんは」

声の主は振り返って哲治を認めると、きんきら声を大袈裟《おおげさ》に張り上げて挨拶《あいさつ》した。オクターブが通常よりふたつは高いのではないかと思える声は、哲治の耳から頭蓋《ずがい》の内部にまで達して、うるさく反響するようだった。哲治は不快な表情を作らないよう、精一杯努力しなければならなかった。

「どうも、こんばんは」

軽く頭を下げると、中年の女は体を横にして哲治に道を空けた。靴を履いている様子を見ると、今から帰るところだったのだろう。とっとと帰って欲しいものだと、哲治は内心で毒づいた。

女の名は小森《こもり》と言った。下の名前までは知らない。このマンションのふたつ隣に住む、家族は三匹の犬だけの独身女性だった。哲治にとっては会えば挨拶をする程度の知り合いでしかないが、どうやら初美は最近行き来する間柄になっているようだ。哲治がいないときなど、互いの家を訪問し合いくだらないお喋《しゃべ》りに興じているらしい。初美も初めての妊娠で、いささか心細くなっているのかもしれない。

哲治はこのお喋りな中年女が嫌いだった。いかにもゴシップ好きそうな、他人のあらを探しているような目つきが何よりも気に食わなかった。おそらくマンション内や近所の住民の噂話をせっせと仕入れては、あちこちでばらまいて歩いているのだろう。なんでも死んだ旦那《だんな》が資産家だったとかで、金と暇だけは腐るほど持ち合わせているのだ。まともに近所付き合いをしたくなる女ではなかった。

「ごめんなさいね、お留守中にお邪魔して。でももう失礼しますから。お邪魔さまでした」

小森は哲治の顔を見ると、そそくさといった態《てい》で自室に帰っていった。煙ったく思う気持ちが哲治の全身から溢《あふ》れていたのかもしれない。少しは気を使うこともあるのだなと、哲治は変に感心した。

「あの人、何時から来てた」

上がり框《かまち》に立っている初美に鞄《かばん》を預けてから、哲治は振り向きもせず居間に進んだ。応接セットのガラステーブルの上には、ふた組の紅茶カップと菓子を盛りつけた皿が載っていた。菓子を包んでいた包装紙が、テーブル一面に散乱している。中年女が意地汚く食べちらかしていった残骸《ざんがい》だった。どうにも不愉快で仕方なかった。

「七時くらいかな」

後ろからついてきた初美が答えた。ソファに腰を下ろした哲治が上着を脱ぐのを手伝おうとする。それを「いい」と短く断って、哲治はひとりでスーツを脱ぎ、ネクタイを緩めた。

「二時間も喋ってたのか」

嫌みのつもりで言うと、初美は初めて気づいたとでもいうように時計を見上げた。

「あら、ホントだ。いつの間に」

「あのおばさんのお喋りに付き合って、疲れないか」

「おばさんなんて言い方やめてよ。失礼でしょ」

初美はソファの横に立ったまま、哲治を見下ろして軽く抗議した。哲治はその姿を、足許《あしもと》から見上げた。

妊娠三ヵ月の初美は、まだ目立つほど体型は変わっていない。若干肌が荒れ、髪に艶《つや》がなくなったようだが、それも一緒に暮らしているからこそわかる程度の変化だ。にもかかわらず初美は、妊娠したことがよほど嬉《うれ》しいのか、もうゆったりとした服を着込んでいる。ウェストを締めないだぶだぶのワンピースは色気のかけらもなく、哲治はあまり気に入っていなかった。一度、まだそんな服装は早いのじゃないかと言ってみたが、初美はこれでいいんだと頑として譲らなかった。それ以来哲治は、なんとなく初美に女性を感じなくなっていた。これは妻の妊娠を知った男が皆経験することなのか、それとも自分だけのことなのか、哲治には判断のつけようがなかった。

「おばさんとしか呼びようがないじゃないか。まさかお姉さんとも言えないだろう」

「小森さんでいいじゃない。おばさんなんてひどい言い方しないで」

初美はキッチンに行き、トレイを手に戻ってきた。飲みかけの紅茶カップを片づけようとする。哲治はその様子を何も考えず見ていたが、ふと気にかかることがあり身を乗り出した。

「二時間喋ってたんだよな。何杯飲んだ?」

「えっ?」

初美は哲治の質問がわからなかったらしく、手を休めて顔を見返した。哲治はいらいらして繰り返した。

「紅茶を何杯飲んだか訊《き》いてるんだ。一杯だけじゃないだろう」

「そりゃ、まあ」

初美は曖昧《あいまい》に言葉を濁し、片づけを続けようとした。哲治はしつこく追及した。

「どうなんだ。三杯は飲んだんじゃないのか。そうだろう」

「そのくらいかな、たぶん」

初美は哲治の方を見ようとしなかった。何を言われるのか、もう見当がついたようだ。その態度が、よりいっそう哲治の苛立《いらだ》ちを促した。

「駄目じゃないか、そんなにカフェインを摂《と》っちゃ。子供に悪いのはわかってるだろう」

「別に紅茶の三杯くらい大丈夫よ。紅茶を飲み過ぎたから障害を持って生まれたなんて、そんな話聞いたことないわ」

「いろいろな原因が積み重なって、悪い結果を生み出すことだってあるんだよ。おれが家じゃ煙草を吸わないように気をつけてるのに、お前がそんなことじゃ意味がないじゃないか」

「ベランダでなら吸ってもいいって言ってるじゃない。そんな恩着せがましい言い方しないでよ」

「そのチョコだって、ずいぶん食べたんじゃないか」哲治は初美が手にした菓子皿に向けて、顎《あご》をしゃくった。「糖分を摂り過ぎたら、妊娠中毒症になるだろうが」

「少ししか食べてないわよ。うるさいわね」

「なんだと」

思わず声を荒らげたが、初美は知らん顔をしてキッチンに下がった。やり過ごされた哲治は、無意識に煙草を吸おうと上着の内ポケットに手を伸ばしていたが、すぐに気づいてやめた。家で煙草を吸えないことが苛立ちの原因だろうかと、少し自己分析をしてみた。

初美の妊娠を知ってから、ちょっとしたことで腹が立つことが多くなった。もともと結婚当初から、妻の大雑把な性格にはいささか眉を顰めさせられていた。何事もきちんと整理整頓《せいとん》しておかないと気が済まない哲治にとっては、同居人のずぼらさを直すところから新婚生活を始めなければならなかったのだ。

ところが半年も経たないうちに、初美が妊娠した。それと同時期に哲治の会社も忙しくなり、極端に残業が増えた。勢い、家の管理は初美に任せきりということになり、哲治は寝るためだけに帰宅するような生活となった。帰ってくれば、掃除してない室内や洗い物の溜《た》まった流しなどに腹が立ったが、妻の身重の体を思えばそれをうるさく注意することもできなかった。そのためによけい、哲治の苛立ちは募った。

また哲治は、仕事の合間に出産に関する心得を書いた本などを読んだが、そこに記されている注意すべき事柄を初美が忠実に守っているのか不安になった。妻の性格からして、このような事細かな制約をきちんと守っているとは考えにくい。自分のことではなくお腹の中の子供のことなのだから、通常以上に気を使って欲しいものだと哲治は考えるが、それを徹底させる方法もなく、また妻の日常を監視するすべもなかった。できることならば、胎児を自分の手許に置いて誕生まで管理してやりたいほどだった。そんな子供の無事を祈る気持ちを、うるさいと言われる筋合いはないはずだと、哲治は苛立ちの中でひとりごちた。

ソファを立って寝室に向かい、着替えを済ませた。汚れた下着とワイシャツを丸めて、洗濯機置き場の扉を開ける。洗濯槽の中に汚れ物を入れようとすると、そこはすでに衣類でいっぱいだった。洗濯くらいまめにしてくれ、と大声を張り上げたいのを、哲治は全力で抑えつけた。

「あ、ごめんなさい。いっぱいでしょ」

食器を洗っている初美は、機先を制するようにそう言った。夫に怒られると、瞬時に悟ったのだろう。哲治は小言を言う気も失《う》せ、黙って洗濯機の蓋《ふた》を閉めた。

「そうそう」

ぐったりと疲労を覚えてソファに坐《すわ》り込もうとする哲治に、初美が振り向きもせず声をかけた。なんのことだと哲治は立ち止まったが、初美は手を休めずにさりげなく続けた。

「今日、黒須《くろす》って女の人から電話があったわよ。誰だったっけ、その人」

初美の口調はほとんど無邪気とも言えるものだったが、一瞬絶句した哲治はすぐに応じることができなかった。かろうじて、

「ああ、そう。珍しいな。大学時代の友達だよ」

と繕《つくろ》うと、初美は「そう」と言ったきりそれ以上追及しなかった。哲治は自分の手がまた煙草を探していることに、しばらくしてから気づいた。

2

哲治が黒須沙紀《さき》と付き合っていたのは、大学三年の末から就職して一年目までだから、ほぼ二年の間ということになる。異性にそれほど積極的になれない哲治にとっては、黒須

沙紀は付き合ったふたり目の女性だった。

最初に付き合った女の子は、哲治の方から熱烈に好きになった。傍目《はため》からはほとんど滑稽《こっけい》に見えるほどその子に惚《ほ》れ込み、挙げ句思い入れが強すぎてうるさがられたのか、一方的に振られることになった。だが哲治にそれを恨む気持ちはなく、今思い出せばただ懐かしく、そして楽しい記憶となっている。

それに対し黒須沙紀との付き合いは、もう二度と思い出したくもない心の傷となって哲治の脳裏に残っていた。相手に対する嫌悪感と罪悪感がない交ぜになり、良心を強く責め苛《さいな》むのだ。

もともと哲治としては、それほど黒須沙紀に愛情を覚えていたわけではなかった。成り行きで一度寝てしまい、そうなったからには付き合わなければならないだろうと生真面目に考えただけだった。特に別れる理由もなかったので二年間も付き合ったが、その間仲睦《むつ》まじかったわけでは決してなかった。

黒須沙紀は哲治より四つ年上だった。哲治がアルバイトで通うようになった会社に勤めていて、いわば先輩格の女性だった。もともとそうした出会いをしたせいか、恋人として付き合うようになってからも、黒須沙紀は常に年長者ぶるのをやめなかった。最初こそ年上の女性との付き合いを新鮮に感じていた哲治も、やがてそれを煩わしく思う自分に気づくようになった。

かと思えば黒須沙紀は、妙に人に依存する性格でもあった。自分では自立した女のつもりなのだろうが、付き合ううちにその幼児性が露呈してきた。ひとりでいるのが寂しいとなると、相手の都合も考えずに平気で呼び出すのだ。その当時哲治は、幾度も夜十時過ぎに家を出て行く羽目となった。自分の時間をきちんと確保しておきたい哲治としては、そうした突然の呼び出しは迷惑でもあり苦痛でもあったが、冷たくあしらうこともできず、それを告げられないでいた。今から思えば、それが悪かったのだとわかるが、当時はできる限り相手に合わせようと哲治も努力していた。寂しがる黒須沙紀に付き合い、何日も彼女の部屋に泊まり続けるような生活を送った。

だが、そんな関係が長く続くわけもなかった。無理に無理を重ねていた哲治の我慢も、ある日の出来事をきっかけに途切れた。哲治は黒須沙紀に別れを告げ、そして予想したとおりに修羅場が起きた。黒須沙紀は大人ぶっていた割には諦《あきら》めが悪く、泣く喚《わめ》くの愁嘆場を演じたのだ。あのときの様子は、もう二度と思い出したくなかった。原因は黒須沙紀の側にあると哲治は主張したかったが、状況としては一方的に悪い男になってしまった。哲治はこれで別れられるのならばと思い、言い訳もせずただ悪役に徹した。それがために、哲治の心には深い罪悪感の傷が残った。

その後哲治は初美と知り合い、結婚した。その際に、以前半同棲《はんどうせい》をしていた相手がいたことを正直に告げたが、初美は過去のこととして気に留めなかった。確かそのとき黒須沙紀の名前も告げたように哲治は記憶していたが、どうやら初美はもう忘れてしまったようであった。

そして風の便りに、黒須沙紀もまた結婚したことを聞いた。その話を聞いたとき、正直言って哲治は心から安堵《あんど》を覚えた。いささかずるい感情だとの自覚はあったが、ホッとしたことは否定できない。別れてからも黒須沙紀は、幾度も哲治の家に電話をかけてきたからだ。初美との結婚を急いだのも、その電話から逃げたかったのだという気持ちも若干あった。哲治が身を固め、そして黒須沙紀も自分に合った配偶者を見つけたことで、縁は綺《き》麗《れい》に切れたはずだった。

その黒須沙紀から久しぶりに連絡があったのは、昨日のことだった。会社に直接電話が入り、哲治は軽く狼狽《ろうばい》した。別れた直後の、電話のベルが鳴るたびに沙紀ではないかと怯《おび》えていたあの感情が瞬時に甦《よみがえ》って、哲治を身構えさせた。

黒須沙紀は「久しぶりね」と尋常に挨拶《あいさつ》をしてから、「ちょっと相談に乗って欲しいことがあるのよ。あたしの旦那《だんな》のことなんだけど」と切り出した。その口調は、別れる際に無様に泣き喚いたことなどまるで気に留めていないような、単なる友人としてのものでしかなかった。それが哲治の警戒心を解いた。互いに結婚した今、かつてのような修羅場が再現される心配もないと哲治は判断したのだ。会うことを約束してしまったのは、哲治の側に未《いま》だ引け目があるからでもあった。夫のことで相談する相手もおらず、かつての恋人のところに電話をしてきたかと思えば、沙紀が憐《あわ》れでもあった。

　残業の合間を縫って、会社から離れた場所にある喫茶店で沙紀と会った。子供っぽい服装が趣味だった沙紀は、年月を経てもあまり外見が変わっていなかった。もう三十代の半ばを超えているはずだったが、とてもそうは見えない。未だ二十代前半で通りそうな幼さだった。

「ごめんね、呼び出しちゃって」

　沙紀は片目を瞑《つぶ》り、両手を合わせて大袈裟《おおげさ》に拝んでみせた。話題からして落ち込んでいるのではないかと想像していたが、どうやら機嫌はよいようだ。哲治はほっとして椅子に腰を下ろした。

「あんまり変わんないね」

　無沙汰《ぶさた》の挨拶をするのも決まり悪かったから、努めて軽い調子でそう応じた。かつてのこともあるので、あまり重苦しい会話にはしたくなかった。

　コーヒーを注文し、会社を抜け出してきたからあまり時間は割けないことを最初に告げた。もうこちらに対しての特別の感情などないだろうが、付き合いを復活させるような成り行きだけは避けたかった。

「うん、ごめんね。忙しいのに呼び出して。あたしのこういうとこが、てっちゃんはいやだったんだよね」

沙紀は深刻そうな顔ではなくそう言ったが、哲治には自分を責める言葉のように響いた。こういう点で配慮ができる女ではなかったことを、いまさらながらに思い出した。気にしても仕方ないので、相手の言葉の裏は極力読まないようにしようと密《ひそ》かに考える。

「気にしないでくれよ。それより聞いて欲しい話って何？」

「うん、それがね……」

促すと、沙紀は自分の結婚生活について語りだした。なんでも夫の職業はフリーのルポライターだとかで、沙紀は転職先の小さな出版企画会社で知り合ったのだそうだ。沙紀の言葉によれば、ルポライターだなどというと聞こえはよいが、要するに雑文家でしかないとのことだった。フリーなので当然安定した収入は望めず、沙紀もパートをして家計を助けていると言う。

「それがね、どうもあたし、妊娠したらしいのよ」

沙紀は秘め事を口にするように、そのときだけ声を潜めてこっそりと言った。

「へえっ、そりゃおめでとう。実はおれの女房も今、妊娠中なんだ」

哲治が応じると、

「あら、そちらこそおめでとう。生真面目なてっちゃんのことだから、奥さんが妊娠しても安心ね。うちと違って」

「どういうこと」

「うん――」

沙紀は言い渋る様子を見せたが、もちろん隠すつもりなどないのだった。哲治が黙っていると、悔しげな表情で夫が出産に反対していることを告げた。

「子供ができても食わせていけないし、あたしがパートを辞めたら夫婦ふたりが生きていくこともできないって言うのよ。だから堕《お》ろせって」

「ああ……そう。それは、また……」

他人の夫婦のことに挟む言葉もなく、哲治は曖昧《あいまい》に語尾を濁した。沙紀は口許《くちもと》を強く引き締めると、言葉を続けた。

「でもほら、あたしこれまでに二回も中絶してるでしょ。だからもう、堕ろすのはいやなのよ」

言われて初めて哲治は思い出した。沙紀は堕胎経験があるのだ。付き合って一年ほどして沙紀はそれを打ち明けた。哲治は驚いたものの、それを理由に気持ちを変えるのなどずるいという考えが先に立った。今にして思えば、そんな大事なことを付き合い始めて一年も経ってから告げる沙紀もずるいのだが。

「そのことを旦那さんは知らないのか」

「……うん。言う勇気が出なくて」

沙紀は俯《うつむ》いて答えた。そんなふうに心情を語られては、沙紀の気持ちもわからないではない。自分に告げたときも、おそらくかなりの決意の末だったのだろう。

「でも言った方がいいぞ。それでつべこべ言うようなら、産んでも不幸になるだけだし」

「そうだね」

「これで産まなければ、今後は妊娠することも危険になるわけだろ。それがわかれば旦那さんだって、どっかで借金してでも出産費用を用意してくれるんじゃないか」

「そうだといいけど……」

哲治の言葉は、沙紀にとってなんのアドバイスにもなっていないようだった。そんなことは、第三者に言われるまでもなく考えていたことなのだろう。しかしそうは言っても、哲治としてはこれ以上の助言もできなかった。本音を言えば、適当にそれらしいことを並べ立ててこの場を立ち去りたいという気持ちが強かった。

その後沙紀は、姑《しゅうと》の意見等をくどくどと繰り返した。哲治は適当に相槌《あいづち》を打ち、時間を見計らって話を切り上げた。沙紀は話し足りなそうな面もちだったが、哲治はあえて気づかない振りをした。喫茶店を出て別れるときも、現在の連絡先を訊こうとはしなかった。もうこれきりで、沙紀との縁も切れるはずと考えていた。

3

玄関先で隣人の小森と鉢合わせした日の翌日、深夜零時を過ぎて眠気が襲ってきたので哲治はベッドに入った。大きなベッドの隣には、初美が遠慮がちに身を横たえている。照明を消し、明日の仕事のことを考えすぐ眠りに就こうと目を閉じていると、やがて初美が小声で話しかけてきた。

「ねえ。まだ起きてる?」

「なんだよ」

不愉快に思う声を隠さなかった。寝つきがよい哲治は、すでにまどろみ始めていたところだった。

「ごめんなさい。言い忘れてたんだけど、今日またあなたに電話があったのよ」

「また?」

即座にいやな予感が胸を走った。また、とはいったいどういうことか。

「昨日電話があった、黒須って人。女の人」確認するように、初美はわざわざ《女》と付け加えた。「メモに書いとくの忘れてたわ。ごめんなさい」

「いや、別にそれはいい」

狼狽《ろうばい》しているのが声に出ていないか、心配だった。暗くて顔が見えないのだけが救いだった。

「それで、なんだって？」

「うん。用件を訊《き》いたんだけど、言わなかった。あなたがいないならいいって。また電話するって」

「また、電話する？」

どういうことか。まだ聞いて欲しい話があるのだろうか。ならばなぜ、今度は会社でなくこちらに電話をするのか。第一、沙紀はどこで哲治の新居の電話番号を知ったのか。

「ねえ、なんの話なの？」

初美は単なる好奇心のような口振りで、軽く尋ねた。だがその言葉の裏には、微妙に不安が混じっているように哲治の耳には聞こえた。それは当然だろう。夫の留守中に幾度も女から電話があれば、心穏やかでいられるわけもない。哲治にうるさがられないよう、初美が精一杯自制しているのは明らかだった。

「わかんない。久しぶりに昔の仲間で集まろうって話かもな」

とっさにごまかしてしまった。昨日の段階で、沙紀がかつての恋人だと言いそびれたのが尾を引いていた。いまさら本当のことを言っても、なぜ隠していたのかとかえって不自然なことになってしまう。不本意だが、ここは嘘を重ねるしかなかった。

「ふうん」

初美は鼻から空気を抜くような返事をした。哲治の説明に納得したのかどうかはわからない。だが哲治としては疚《やま》しいことなどないのだから、これで納得してもらうしかなかった。

「お休み」

この話はこれで終わりだとばかりに、哲治はそう言って初美に背を向けた。

久しぶりに哲治は、沙紀の電話魔ぶりを思い出すことになった。哲治が考えるに、沙紀ほどひとり暮らしが性に合っていない女もいなかった。ちょっとしたことですぐに落ち込み、人の温《ぬく》もりを求める性格は、とてもひとりで暮らすことに耐えられるものではなかった。二年間付き合った哲治は、その気性をいやと言うほど思い知らされ、そして振り回された。

ふだんの沙紀は決して常識のない女ではなかったのだが、こと電話に関しては分別を忘れた。哲治の両親は礼儀にうるさく、夜十時過ぎに電話がかかってくるだけで不快な顔をする性格だった。だがこれまでの哲治の交際範囲では、それでも不自由なことはなかった。哲治の友人は皆、良識をわきまえ、非常識な時間の電話などかけてこない者ばかりだったからだ。

だから沙紀のように夜中でもかまわず電話をかけてくる人間がいることが、哲治は最初信じられなかった。初めて眠っているところを電話のベルで叩《たた》き起こされたときは、何か大変なことが起きたのではないかととっさに考えたほどだった。母親が起きて電話に出て、そして怒った顔を隠さず哲治に回した。受話器に出て「どうしたんだ」と尋ねると、沙紀は「寂しかった」と答えた。そのとき哲治は、年長者ぶる沙紀の本当の顔を見たように思った。年齢こそ四つも上だが、沙紀は未《いま》だ子供なのだった。

哲治の応対もまずかった。付き合い始めたばかりで、まだ相手に厳しい物腰で接することができない時期でもあり、哲治はその晩ゆっくりと話に付き合ってしまったのだ。寂しかったと言って電話をしてくる沙紀に、冷たい応対もできなかった。結局非常識な時間の電話を咎《とが》めることはできず、その後も同じような行為を許す結果となった。付き合っていた二年間、哲治は親の目を気にして終始夜中の電話に怯《おび》えていたとも言えた。

電話だけで済むのは、まだましな方だった。電車がある時間であれば、沙紀はこちらの都合も考えず会うことを求めた。哲治は突然呼び出されるたびに困惑を覚えたものだが、さりとて断る理由も見つけられず、求めに応じて沙紀の部屋へと向かった。寒い夜など家を出て行くのは辛《つら》かったが、それでも従順に沙紀に合わせていたのは、やはり哲治も若く、また相手が年上であることも大きく影響していたのだろう。要するに哲治は、年上の女性の我《わ》が儘《まま》に振り回されていたのだが、当時はそんな自覚もなかった。ただ漠然とした不満を抱え、惰性で沙紀との付き合いを続けるだけだった。

久しぶりに沙紀と会ってしまったのは、明らかに哲治の失敗だった。沙紀は哲治と再会したことで、電話してもよいという権利を手に入れたつもりなのかもしれない。今はまだ尋常な時間にかけてきているが、これがかつてのように夜中にかかってくるようになったらと考えると、哲治は大袈裟《おおげさ》でなく身の毛もよだつ思いに駆られた。

4

恐れていたとおり、沙紀はそれからもたびたび電話をかけてくるようになった。どうしたことか、それは自宅宛の電話で、決して哲治の会社にはかけてこなかった。しかも一度として哲治がいる時間にかけてきたことはない。わざと留守の間を狙って電話してきているようだった。

初めて自宅に電話があってから一週間、沙紀は毎日のように連絡を入れてきた。最初の三度ほどは無視しようと思っていたが、毎日続くとさすがに苛立《いらだ》ちを覚える。だが文句を言おうにも、沙紀と連絡をとるすべはなかった。こうなると、再会したときに連絡先を訊かなかったことが強く悔やまれた。

今度電話があったら連絡先を訊くよう初美に頼んでおいたが、それも功を奏さなかった。こちらから連絡をさせるからと、初美は相手の電話番号を聞き出そうとしてくれているのだが、沙紀はのらりくらりと自分の連絡先を言おうとしないのだそうだ。それを聞いて哲治は、ようやく沙紀の行為に悪意を感じ始めた。

付き合っていた当時から、沙紀は決して陽性の性格とは言えない女だった。明るく振舞っているときはごく気のいい女性なのだが、一度何かに躓《つまず》くともういけなかった。意味もなくひとりで部屋に籠《こも》り、べそべそと泣き続けるような日もあった。何を悩んでいるのかと哲治が気にかけても、沙紀は頑としてその原因を口にしようとしなかった。付き合いが長くなるうちにわかってきたことだが、沙紀の泣きべその原因はいつも大したことではなかった。職場の先輩に軽い嫌みを言われたとか、ゴミ捨て場でゴミを捨てるときに近所のおばさんにあからさまに無視されたとか、普通の人であれば泣くほどのことでもない些《さ》細《い》な出来事ばかりだった。おそらく沙紀は、軽い鬱《うつ》病の気があったのだろう。非常識な時間に頻繁に哲治を呼び出したのも、それに起因するところが大きいようだった。

今回頻繁に電話をしてくるようになったのも、考えてみれば沙紀らしい行為と言えた。哲治が考えるに、あのとき妻が妊娠していることを告げたのが、沙紀の心に引っかかったのだろう。自分は貧困のせいで自由に出産することもままならないのに、哲治の妻は幸福に包まれてなんの不安もないまま子供を産もうとしている。そう考えると、むらむらと面白くない気持ちが湧いてきたのではないだろうか。哲治がいないときばかりを見計らって電話をしてくるのは、初美の心を乱そうとしているからだとしか思えなかった。

案の定とも言うべきか、沙紀からの電話の回数が増えてくるにつれて、初美は目に見えて苛立ちを露《あらわ》にするようになった。どちらかというとおとなしい妻であったが、最近は露骨に夫への不満を表明するようになった。家に帰ってきたら口喧《くちやかま》しくしないでくれ、会社の残業もほどほどにしてもっと一緒にいる時間を増やしてくれ、生まれてくる子供のこともう少し気にしてくれ、等々。結婚以来、まったく愚痴をこぼしたことがないわけではないが、こんな理不尽な言いがかりはついぞなかった。自分ほど生まれてくる子供を気にかけている夫もいないではないかと、哲治は反論した。沙紀の電話が、自分たち夫婦の絆《きずな》に罅《ひび》を入れていると、哲治は感じた。

ついにたまりかねて、哲治は以前アルバイトをしていた職場に久しぶりに電話を入れた。もちろん沙紀の現在の連絡先を調べるためである。もう一度沙紀とふたりで話をして、こんないやがらせめいたことはやめさせないことには、初美の神経が出産を待たず参ってしまう。

かつてのアルバイト先は、哲治が名前を名乗っても誰もわかってくれなかった。ずいぶん人員も入れ替わったようだ。仕方なしに、社長に電話を繋《つな》いでもらった。社長は哲治のことを憶《おぼ》えていて懐かしがってくれたが、沙紀の消息については何も知らなかった。

早くも手詰まりになった哲治は、最後の手段でかつての友人に連絡をとることにした。正確に言えば、沙紀の友人であった女性である。当然のことながら沙紀と別れた時点で、その女性との付き合いも途切れていた。

自宅で初美の目を盗んで古い手帳を開いてみると、幸いなことにその友人の電話番号が控えてあった。気は進まなかったものの、哲治は思い切ってその友人、村瀬《むらせ》章子《しょうこ》に連絡を入れてみることにした。

気が進まない、というのは、村瀬章子が哲治に対し悪感情を持っているだろうからだった。沙紀と別れるとき、哲治は一方的に泥を被《かぶ》った。突然に別れを告げられた沙紀は、半狂乱になって醜態を演じたのだが、それにはまともな理屈など通用しそうになかった。そのために、哲治は話し合いは放棄して沙紀が投げつけてくる雑言を甘んじて受け入れた。沙紀は哲治のことをひどい男だと罵《ののし》った。自分をいいように弄《もてあそ》んだとまで非難した。二十代後半の年齢を、哲治との付き合いに費やしたのだから、沙紀としてもおとなしく引き下がることはできなかったのだろう。哲治は何も言質《げんち》を与えたつもりはなかったが、沙紀としては哲治と結婚するつもりでいたようだ。

すったもんだのあげく、哲治は逃げるように沙紀の部屋を後にした。当然沙紀は、共通の顔見知りである村瀬章子に、事の次第を子細に話して聞かせたことだろう。こうした場合はただでさえ男が悪者になるものだ。加えて哲治が何も反論しなかったという点で、村瀬章子はすべての非を哲治が認めたと見做《みな》しているかもしれない。別れてしまった後は、沙紀の友人に自分がどう思われようとかまわなかったが、いざ電話を入れるとなるとやはり気が重かった。

会社の残業を抜け出して、哲治は思い切って連絡を入れてみた。もしかしたらもう繋がらないのではないかと、半分それを期待しながら電話のボタンを押したが、通話はあっさりと繋がった。村瀬章子はまだ以前の住所に住んでいるのだ。

「……ご無沙汰《ぶさた》してます。中西ですが、憶えてらっしゃいますか」

どう切り出したものか迷ったが、取りあえず尋常な挨拶《あいさつ》を口にした。すると相手は、一瞬絶句したような間を置いてから、「ああ、どうも」と曖昧《あいまい》な返事をした。

「大変ご無沙汰してますが、お元気でしょうか」

いたたまれず、哲治はもう一度繰り返した。間の抜けた挨拶だと自分でも思ったが、それ以外に会話を進める手段がなかった。

「なんとかね」

ぶっきらぼうな言葉が返ってきた。その口調から、やはり自分が歓迎されざる相手であることを哲治は悟った。開き直って、早々に本題に入った。

「突然電話したのは他でもなく、今の沙紀の連絡先をご存じだったら教えて欲しいと思ったんです。沙紀の現在の電話番号を知ってますか」

「沙紀は結婚したのよ」

「知ってます。つい先日、会いました」

「ああ、そう」意外だったのか、村瀬章子は初めて感情を交えた声を発した。「まだ付き合いあるんだ。それでどうして、あたしのところに連絡してくるのよ」

「付き合いがあるわけじゃないんです。向こうから突然、会社に連絡が入って」

「沙紀になんの用なのよ」

村瀬章子は、そう尋ねた。仕方ないので、哲治は現在自分が置かれている状況を大雑把に語った。相手はそれで一応納得したようだった。

「あ、そう。そりゃ大変ね。沙紀もまだあなたに恨みを抱いてるのかしら」

「恨み……」

おどろおどろしい言葉が発せられて、哲治は驚いた。村瀬章子は「うん」と相槌《あいづち》を打ってから、続けた。

「あなたと沙紀が別れた後、あたしずいぶん恨み言を聞かされたんだよ。それだけでもあなたに謝って欲しい気持ちだよ」

「……すみません」

沙紀の性格からして、その恨み言がかなりしつこかったことは容易に想像できる。哲治はうんざりしながらも、一応詫《わ》びておいた。

「でもね、あいにくだけど、あたしも沙紀の連絡先は知らないんだ。もう連絡をとり合わなくなって長いからね」

「えっ？」

「喧嘩《けんか》したのよ。もう付き合いきれないと思ってさ。あなたと同じ」

「酒、ですか」

すぐに思い当たり、哲治は問い返した。ふたりの友情を壊すものといえば、それは酒以外にあり得なかった。

沙紀はあまりアルコールに強い方ではなかったが、飲むこと自体は決して嫌いではなかった。問題はその酔い方で、楽しい酒であればよかったのだが、沙紀は酩酊《めいてい》するといつも我を忘れた。意味もなく心に鬱々《うつうつ》と溜《た》めているものが、酒によって抑制の箍《たが》を失い表に出るらしい。ありていに言えば酒癖が悪いのだ。

哲治が別れを決心した直接の原因も、沙紀が酔っぱらって奇矯な振る舞いをしたせいだった。その日は哲治の誕生日で、沙紀の部屋でささやかなお祝いをすることになっていた。哲治の友人も呼び、三人で鍋《なべ》を囲んでつつく予定だった。鍋なのだから、少量のビールをと用意したのがいけなかった。沙紀はわずか缶ビール二本で酩酊し、哲治の友人に絡み始めた。ねちねちとしつこく議論を持ちかけ、賛同を得られず意見が対立すると、怒ってコップのビールを友人の頭から浴びせた。何をするんだと哲治が怒鳴ると、今度は怯《おび》えてご機嫌を取り始めた。友人に抱きつき、キスをしたのだ。酒の上とはいえ、始末に負えない行状だった。怒って帰ろうとする友人を追いかけ、哲治は平謝りに謝った。そしてそんな恥をかかされたことで、哲治の我慢も切れた。

とどのつまり、村瀬章子も沙紀の酒癖の悪さに愛想を尽かしたということだった。沙紀はそうやって、恋人も友人も失っていったようだ。ますます酒への依存度が高まったのではないかと想像できたが、あまりそれについては考えたくなかった。収穫がなかったことを残念に思いつつ、哲治は村瀬章子との通話を終えた。

5

「ねえ、聞いてくれる?」

初美は少し甘えるような口調でそう切り出した。新聞の夕刊を読んでいた哲治は、上の空で「ああ」と応じた。

「今日ね、知り合いのつてを辿《たど》って、保険の外交のおばさんが来たのよ。あたしが妊娠したこと、どっかから聞きつけたみたい」

「保険? 生命保険なら入ってるって言ってやればよかったじゃないか」

顔も上げず答えると、初美は「違うのよ」と言いながら哲治の横に移動してきた。

「生命保険じゃなくって、妊娠保険っていうのがあるんだって。妊娠六ヵ月から入れるから、時期が来たらぜひ入れって言うのよ」

「妊娠保険?」

耳慣れない言葉に尋ね返したが、特別興味も持てなかった。初美が喋《しゃべ》る言葉は、右の耳から左の耳へと抜けていた。

「うん。もし流産したりとか、死産だったりしたら、そのときはお金が出るんですって」

「へえ。いいじゃないか」

「よくないわよ。縁起でもないじゃない。そう言って断ったんだけどね、そのおばさんしつこいのよ。図々《ずうずう》しく上がり込んで、二時間近く粘ってったのよ。結局つわりが辛《つら》いからって理由で帰ってもらったんだけどね。そうでも言わないと引き下がらないんだから、頭来ちゃうわ。自分も女のくせにね――ねえ、聞いてる?」

「聞いてるよ」

面倒な思いを隠さず哲治は答えたが、初美はそれが不満そうだった。

「聞いてないじゃない。ほんとにいやだったのよ、あのおばさん」

「妊娠中だけの保険なんて、大した掛け金じゃないんだろ。入ったってよかったじゃないか」

「いやよ。子供が生まれなかったら、お金なんてもらったってしょうがないもの。冷たいのね」

「おいおい」

ようやく新聞から顔を上げて、哲治は初美の言い種《ぐさ》に抗議した。だが初美は臍《へそ》を曲げてしまったのか、ソファから立ち上がると、電話機の横から何かを取り出してそれを哲治の膝《ひざ》に抛《ほう》り投げた。

「それ、手紙。今日あなたに来てたの」

「手紙?」

初美はつんと顎《あご》を反らせて、寝室へと引き籠《こも》ってしまった。仕方ないので哲治は、膝の上の手紙へと視線を移した。

変哲もない白い封筒だった。宛名はワープロで印字されている。誰だろうかと裏返して差出人を確認し、哲治の手は止まった。

封筒の裏には住所も何もなく、ただ《黒須沙紀》とだけワープロで書かれていた。

驚いて寝室の方に目をやり、ドアが閉まっているのを確認してから、急いで封を切った。中からはレポート用紙のような、飾り気のない紙片が出てきた。

その文章もやはりワープロで打たれていた。この前会ったことに最初に触れ、後はまた会いたいという台詞《せりふ》の繰り返しだった。電話をしても繋《つな》がらないことを恨みがましくどくどと書き連ね、会いたいと連発している。その文面も語彙《ごい》の限りを尽くしてというより、ただひたすら同じ文章の繰り返しなのがいっそう不気味だった。沙紀が抱いている哲治夫婦への嫉妬《しっと》心は、どうやら尋常のレベルを超えているようだった。

薄気味悪さを覚え、哲治はその手紙をくしゃくしゃに丸めた。そうしてから連絡先が記されていないかともう一度開いてみたが、やはり何も書かれていない。悪意のあるいやがらせ以外の何物でもなかった。

これは本気で沙紀を捜さなければいけないかもしれない。哲治は胸の中でその思いを噛《か》み締めた。プロの探偵を使ってでも沙紀の行方を突き止め、こんないやがらせはやめさせないことには、夫婦の間に亀裂《きれつ》が走る。それが沙紀の狙いであるのなら、なおのことそんな事態は未然に防がなければならなかった。

日曜日のことだった。哲治は初美とともに、デパートへと買い物に出かけた。これから初美の体型が変わってくるのに合わせ、いろいろな物を買い込まねばならないからである。マンションから駅へ向かう途中で、初美はもっと遅く歩いてくれと文句を言った。哲治の歩調が早すぎると言うのだ。

「妊娠してるんだから、もうちょっと気を使ってよ」

当然の権利だとばかりに、初美は堂々と主張した。

「何言ってんだ。まだ三ヵ月なんだから、歩くのだってそんなに辛くないだろう」

初美の主張は、妊娠という事実に甘えているようにしか思えなかった。お腹も出ていないのにだぶだぶの服を着ていることからしても、初美は初めての妊娠に酔っているのだ。哲治としては、そんな初美の舞い上がりようが苦々しかった。もっと地に足を着けて、出産に備えて欲しいものだと考える。

だが結局、転んだりすると危ないということで、哲治が初美の歩調に合わせることになった。そのため、駅までの道のりは普段の倍の時間を要することになった。わずかだが、哲治はそのことに苛立《いらだ》ちを覚えた。

デパートに着き、必要な買い物を済ませると、初美はアイスクリームが食べたいと言い出した。そこで地下の食品売場に下り、スタンドのアイスクリームショップでふたり分のコーンアイスを買った。それを立ったまま嘗《な》めているときのことだった。

「ねえ、あの人」初美が哲治の背後に目をやって、言った。「あの女の人、さっきからこっちをずっと見てるわよ。あなたの知り合い？」

驚いて哲治はとっさに振り向いたが、初美の言うこちらに視線を向けている人物は見当たらなかった。

「どこだよ」

向き直って問うと、「消えちゃった」と初美は答える。

「女の人がね、じっとあなたを見てたのよ。なんか、気味が悪かった」

まさか、と思った。だが哲治は確かめずにいられなかった。ちょっと持っててくれ、とコーンアイスを初美に手渡し、初美が言う方向へと小走りに急いだ。曲がり角を折れて見渡したが、沙紀らしき人影は見当たらなかった。

だが哲治は確信していた。沙紀がここにいたのだ。そして哲治たちがふたりでアイスクリームを嘗めている様子を、背後からじっと見つめていたに違いない。思い詰めたような、昏《くら》い眸《ひとみ》で。

背筋に寒気が走った。こんなところまでつけ回すとは、すでに沙紀の行為は常軌を逸していた。このままエスカレートすれば、どんな事件を引き起こすか知れなかった。哲治ははっきりと身の危険すら感じた。

探偵に頼まなければ、と即座に決心した。このまま沙紀を放っておくわけにはいかない。なんとか居所を突き止め、自分たち夫婦につきまとうのをやめさせないと、初美どころか哲治自身の神経もおかしくなってしまいそうだった。

後ろからゆっくりと初美が近づいてきた。心配げな声で「誰？」と問う。わからないと白を切ると、「電話の人でしょ」と初美は思いの外に厳しい声で問い詰めた。

「この前その人、手紙も送ってきたでしょ。誰なのよ。ねえ、誰なの。哲治さん、浮気してるの！」

初美は突然激昂《げきこう》し、両手に持っていたコーンアイスを足許《あしもと》に叩《たた》きつけた。アイスクリームが飛び跳ねて哲治の靴を汚したが、哲治はそんなことにかまっている余裕はなかった。さめざめと泣き出した初美を抱き寄せ、浮気なんかしてないと幾度も繰り返すだけだった。

もう限界だ。哲治は冷静に考えた。初美も自分も、もう限界だった。沙紀の幻影に躍らされ、早晩夫婦の仲は崩れてしまう。それを食い止めるすべすら、哲治はほとんど持ち合わせていないのだった。初美を抱き締めたまま、哲治は己の無力を強く感じていた。

6

すでに哲治は、探偵に依頼する決意を固めていた。初美の精神は、徐々に安定を欠いてきているように見受けられる。それは単なる、妊婦が誰でも感じる不安と片づけてしまうには危険なものを孕《はら》んでいた。初美の言動が普通でなくなってきているのは、哲治もしばらく前から気づいていた。

探偵などに仕事を頼むのは初めてのことだった。そのため何を準備したらよいのかわからず、取りあえず印鑑くらいは探しておくかと考えた。ちょうど初美が風呂《ふろ》に入っているときに思いつき、寝室の小物入れを漁《あさ》り始めた。

初美がどこにしまい込んだか知らないので、印鑑のありかはなかなかわからなかった。しばらく探しても見つからず、仕方なく初美が風呂から上がってくるのを待とうかと考えたときだった。

机の上のワープロの電源が入っているのに、ふと気づいた。省電力設計のためディスプレイはすでに消えているが、電源のスイッチは入ったままになっている。食後にしばらく初美がいじっていたようだから、そのときに消し忘れたのだろう。哲治はそう考え、スイッチを切ろうと手を伸ばした。

そしてふと、作成中の文書があったらまずいなと思い直した。初美は最近、暇を持て余してちょっとした公募に投稿するのに凝っている。小説などのまとまったものではないが、簡単なコピーやエッセイ程度の募集には、まめに応募しているようだった。もしそれらの文書が残っていたら、勝手に消してしまうのはよくないだろうと考えた。

自分のワープロではないので勝手がわからなかったが、キーボードをいじるとすぐにディスプレイに明かりが灯《とも》った。画面いっぱいに文字の列が浮かび上がる。見るともなくその文章を目で追ううちに、哲治の顔は強張《こわば》り始めた。

そのワープロに打ち込まれていた文章は、哲治宛の手紙だったのだ。

それも初美から哲治への手紙ではなく、黒須沙紀が哲治に宛てた文章という体裁を取っていた。これはいったい何だ？

内容は以前来た手紙とは違っていた。明らかにそれは二伸として書かれたものだった。なぜそんな文章が初美のワープロに入っているのか。沙紀からの二通目の手紙が来ていて、それを初美は哲治に見せず書き写しているのか。それとも……。

背後に人の気配を感じ、哲治は飛び上がらんばかりに振り向いた。そこには風呂から上がってきた初美が立っていた。

初美は哲治の手許でワープロのスイッチが入っているのを見て、目を丸くしていた。顔面の筋肉が硬直し、表情らしい表情が形作れなくなっている。その様子を見て哲治は、瞬時に事態の真相を悟った。

「……あの手紙は、お前が書いたものだったのか」

それ以外考えられなかった。初美が黒須沙紀の名前を騙《かた》り、哲治宛に手紙を出していたのだ。だがいったい、なんのためにそんなことをするのか。哲治には理解できなかった。

初美はショックのあまり、哲治の質問に答えることもできないようだった。硬直したまま、じっと哲治の顔を見つめている。哲治は続けて問いかけた。

「もしかしたら何度も電話があったことも、それから今日のデパートでのことも、全部お前の嘘だったのか。本当は電話なんか、一度もかかってきていないんじゃないか」

問いとして口にしたが、いざ言葉にするとそれが真実だと胸に落ちるものがあった。黒須沙紀は哲治につきまとったりなどしていなかった。すべては初美が演じた狂言だったのだ。

「どうして、そんなことを……」

初美の行動の意図がわからなかった。初美は明らかに、一連のことが起きてから感情のバランスを崩すようになった。だがそれが自作自演だったとしたら、なんのための作為なのか理解できない。初美は何を考えているのか。

「――あなたの気持ちがわからなかったのよ」

ようやく初美はぽつりと言った。よろよろと進み出ると、ベッドの端に崩れるように腰を下ろした。

「おれの、気持ち？」

哲治が問い返すと、初美はうなだれたまま答えた。

「そうよ。あなたはこの前、黒須沙紀さんと喫茶店で会ってたんでしょ。それを小森さんが目撃して、あたしに教えてくれたのよ」

哲治はすぐに思い当たった。では先日の、哲治と入れ替わりにそそくさと出ていったときに、あの中年の女はいらぬご注進を初美にしていたのか。あのゴシップ好きの女が。

「小森さんが教えてくれたその女の人の雰囲気から、あなたが昔付き合ってた人だって、すぐにわかったわ。だからさりげなく、電話があったって嘘を言って様子を見たのよ。それなのにあなたは、黒須さんに会ったことを正直に言ってくれなかった。それであたし、不安になったのよ」

あのとき初美は、黒須沙紀の名前など憶《おぼ》えていないかのように振る舞っていた。だがその実、フルネームを漢字で書けるほどに記憶に刻み込んでいたのだ。それにも気づかず哲治は、何も疚《やま》しいことがないのに白を切ってしまった。その小さな嘘が、初美を追いつめていたのか。

「あなたはあたしが妊娠しても、ちっとも嬉《うれ》しそうじゃなかった。妊娠がわかると、わざとのように残業を増やしてあたしといる時間を減らしてるし、あたしの行動すべてが気に入らないみたいにがみがみ怒るようになったし、あたし絶対嫌われたんだと思ってた。だからそれからも、嘘を言ってあなたの様子を窺《うかが》ってたのよ。もし浮気してるんじゃなかったら、ちゃんと本当のことを話してくれると思って。でもあなたは話してくれなかった。あたしが嘘をついてることは、黒須沙紀さんに確かめればすぐわかるはずなのに、それでもとぼけているのは、あなたが開き直ってるせいだと考えたわ。あたしが気づいてるのを知ってて、公然と浮気してるんだと思った。すごく辛《つら》かった」

初美は込み上げてくるものを吐き出すように、一気に語った。両手で強く握り締めているバスタオルには、断続的に水滴が落ちていた。泣いているのだった。

哲治はその涙に胸を衝《つ》かれた。なんということか——突然に湧き上がる後悔の念に、全身をぎりぎりと締めつけられた。哲治は心から初美の妊娠を喜んでいた。喜んでいるからこそ、初美と胎児の健康を気遣い口うるさくなったのだ。残業の件についても、初美の思い過ごしに過ぎなかった。哲治だって、こんなときだからこそ早く帰宅したかった。できることなら飛んで帰りたいほどだったのだ。

すべてが悲しい誤解だった。互いが互いを思うあまりに、大事なものが見えなくなっていた。その原因は、すべて哲治の言葉不足にあった。夫婦という関係に甘え、哲治は無言の理解を初美に求めていた。初めての妊娠で一番不安なときに、哲治は初美を突き放してしまったのだった。

「おれが、悪かった」

哲治は万感の思いを込めてそう詫《わ》び、初美を強く抱き締めた。これから哲治は、言葉の限りを尽くし初美にすべてを説明し、誤解を解かなければならない。その手間暇を厭《いと》う気持ちなど、もはや哲治は微塵《みじん》も持ち合わせていなかった。

7

数日後。会社に沙紀からの連絡が入った。夫と相談した結果、やはり子供を産むことにしたと言う。よかったなと、哲治は心からの祝いの言葉が言えた。

憑かれる
tsukareru

1

実は、とはにかんだ顔で切り出されたとき、すぐになんのことだかピンときた。このような表情を倉田《くらた》聖美《きよみ》は、これまでに何度も見せられている。反射的に、『またか』とうんざりする思いが胸を走った。

「実は、あたし、今度結婚するんですよ」

眼前の女性編集者は、嬉しさを抑えきれないといった口振りで、弾むように言った。飯《いい》山華子《やまはなこ》という名の編集者は、今年で入社三年目ということだから、まだ二十代前半のはずである。どうしてこうどいつもこいつも結婚を急ぎたがるのかと、聖美は頭を抱えたくなった。

だがむろん、聖美はそんな考えをおくびにも出さず、「まあ」と眉《まゆ》を吊《つ》り上げて驚いて見せた。

「ホント？　それはよかったじゃない。おめでとう」

聖美が祝福を述べると、華子はほんの一瞬だけ、安堵《あんど》を顔に上《のぼ》せた。三十代に突入して未《いま》だ独身の聖美に気を使っていたのだろう。別にいまさら自分より年下の者が結婚しようとなんとも感じないが、こうして変に気を回される方がよほど苛立《いらだ》たしかった。自分が〝結婚しない〟のではなく〝結婚できない〟と他人に見られたときほど、腹が立つことはない。この煩わしさを免れるためだけにでも、いっそ誰とでもいいから結婚してしまおうかと思うことすらある。もちろんそれはいっときの衝動であって、実際に自分が結婚することなどあり得ないのを、聖美は充分に承知していた。

「相手はどんな人なの」

純粋な義務感から訊《き》き返すと、華子は待ってましたとばかりに応じた。こうして自分の結婚相手について語るのが、嬉しくて仕方のない時期なのだろう。聞かされる方としては別に面白くもない話題だが、それに黙って付き合ってやるくらいの分別を聖美は持ち合わせているつもりだった。

「大学時代から付き合ってる人なんです。就職したら結婚しようって約束だったんですけど、彼は一年留年しちゃったんで卒業があたしより遅くて、で、ようやく来年なら一緒に暮らせるくらいの経済力がつくからって、それでこの前結納を済ませたんです」

「あ、そう。彼はどこにお勤めの人？」

「M——商事です」

華子は誇らしげにその企業名を口にした。一流中の一流会社である。そうした会社に勤める相手との結婚が、華子にとっては自慢でならないようだった。

「M——商事って言ったら、ずいぶんお給料もいいんじゃない。ふたりで働いてたら、あっという間に家が買えるくらいお金が貯まるわね」

「いいえ、あたしは結婚したら仕事を辞めようと思ってるんです。彼もそうしろって言ってくれてるし」

「ええっ、辞めちゃうの？　まだ三年目でしょ。ようやく仕事を覚えて、これから楽しくなるところじゃないの。もったいない」

「そうなんですけど、でもいいんです。三年やってなんとなく満足したところもあるし、もともとあたし、そんなにこの仕事に執着してたわけじゃありませんから」

「そうなの？　出版社って、入社試験は難関なんでしょ。それをせっかく通り抜けたのに、そんなに簡単に辞められちゃうわけ」

「ええ。あたし、どちらかと言うと、ばりばり仕事をするタイプじゃなくって、家で子育てでもしてる方が合ってると思うんで」

「じゃあ、専業主婦？」

「そうなりますね」

あっさりと華子はそう認める。聖美は思わず天を仰ぎたくなった。

華子とは彼女が入社したときからの付き合いなので、知り合って二年ちょっとになる。最初はこの業界の右も左もわからないただの女の子だったが、最近ようやく対等な仕事上のパートナーとして一本立ちできるようになった。以前に一度、渡したゲラを電車の網棚に忘れるという大ちょんぼをやらかした華子であったが、今ではそうした失敗も笑い話にできるほど一人前の口を利いている。華子がこうなるまでには多少なりとも聖美も貢献したという自負があるだけに、恬淡《てんたん》と退社することを口にされると拍子抜けする。これまでの付き合いはなんだったのかと、どっと重い疲労を肩に覚えてしまった。

「あのさあ、もしかしてあなた、ずっと結婚に憧《あこが》れていたってタイプ？」

「そうですけど、それが何か」

聖美の思いも知らぬげに、華子はあくまで楽しそうな口振りだった。自分の言葉に相手が苛立っていることなど、思いも寄らないのであろう。華子もまた、女の幸せは結婚することだという固定観念に縛られているひとりのようだった。

「いえね、あたしはそうじゃないからさ。どうしてみんな、そんなに結婚したがるのかなと思ってね」

聖美はたばこを取り出し、ライターで火を点《つ》けた。たばこでも吸わないことにはやってられなかった。

「だって、子供が欲しいじゃないですか。別に結婚しなくても子供は産めるって言う人もいるけど、あたしはそういうのはいやなんです。だから結婚して、子供を育てたいんですよ」

華子は夢見るように言った。聖美は肺の中の煙を思い切り吐き出したくなった。

「そういうことを言う女の人は多いけどさ。でも子供なんてうるさいだけじゃない。子供を持ったら、自分の時間なんてほぼゼロになっちゃうんだよ。そういうの、ぞっとしない？」

「だって、自分もそういう手間を親にかけさせたわけですから、面倒だなんて言ってられませんよ。当たり前のことじゃないですか」

「そりゃ、そうだけどさ」

もはや続ける言葉もなく、聖美は黙ってたばこを吹かし続けた。そんな聖美を、華子は憐《あわ》れむような眼差《まなざ》しで見ている。聖美の言を、よほど奇矯なものと受け止めたのだろう。自分が描くごく普通の主婦像が唯一の正しい女の有りようだと信じているその顔こそ、聖美からすれば不気味以外の何物でもなかったのだが。

たばこを灰皿にねじ消して、取ってつけたように「ともかく、おめでとう」と言い添えると、華子は幸せそうににっこりと微笑んだ。

2

自分の発想が他の人と違うと聖美が気づいたのは、中学の頃のことだった。『将来の夢』などという作文を書かされるのは小学校から頻繁にあることだったが、そんな場合たいてい、男の子はパイロットとかスポーツ選手を挙げ、女の子はお嫁さんを皆一様に望むのだった。そうした画一的な答えを聖美は嫌い、ひとりだけ「裁判官」などと書いていた記憶がある。それを友人たちに話すと、まるで変人でも見るような目つきを浴びせられたのが、子供心にも不愉快であった。

思うに、幼い女の子が皆自分の将来を《お嫁さん》と想定するのは、社会がそうした概念を押しつけてくるからなのだろう。女性の社会進出が声高に叫ばれる昨今でも、未《いま》だに誰もが結婚するものとの暗黙の了解がはびこっている。聖美も二十五を過ぎた辺りから周辺がうるさくなり始め、親戚《しんせき》などはお為ごかしに見合いの話を持ってくるようになった。聖美がそれらをすべて、写真も見ずに断ってしまうと、犯罪者に対するような白い目で見られた。若いうちは結婚なんて考えられないかもしれないけど、三十を過ぎたらとたんに焦り出すのよ、としたり顔で諭す者もいた。そんな台詞《せりふ》を向けられるたび、聖美は『冗談じゃない』と内心で激しく憤ったものだった。

最近は女性も晩婚化傾向にあるとは言え、三十歳が大きな分岐点と見做《みな》される傾向に変わりはなかった。二十五までは聖美と一緒になって、結婚なんて考えたくもないと言っていた友人たちが、三十を目前とした頃になると示し合わせたようにばたばたと入籍してしまった。仕事が生き甲斐《がい》と公言して憚《はばか》らなかった友人も、今では立派なお母さんとなって、育児に生活のすべてを捧《ささ》げている。その豹変《ひょうへん》ぶりを見るたびに聖美は、女とはなんと不自由な生き物なのだろうかと感じずにはいられなかった。豊かな才能を持った女性たちが、社会通念に押し潰《つぶ》されて平々凡々たる暮らしに突入していく様は、聖美に悲哀すら覚えさせた。

聖美は結婚を強く忌避しているわけではなかったが、さりとて人目を気にして焦って結婚する気にまではなれなかった。聖美が考えるに、女性が社会で認められようと思ったら、男性の一・五倍は能力を発揮しなければならない。つまり自分と同格と見做される男たちは、能力的には皆劣る者ばかりなのだ。そうした男たちをいやというほど見続けてきたので、聖美はどうしてもその中のひとりと結婚する気にはなれなかった。せめて自分と同じほどの能力を有していてくれないと、とてもではないが将来をともになどできない。愚かな男のために懸命に尽くすのなど、聖美にとっては身の毛のよだつことであった。

聖美は最近ようやく名前が知られてきた新進翻訳家だった。かつて中堅の貿易会社に勤めていた頃に海外のペーパーバックをよく読み、その中で大変面白い本があったので出版社に勤めていた友人に翻訳するよう勧めた。作者は日本ではまったく名を知られていない新人だったが、訳されれば評価されることは間違いなかった。聖美としては友人の手柄になると思って勧めたのだが、それを聞いた相手は聖美に自分で訳してみるよう促した。適当な訳者がいないので、それほど面白ければ自分で翻訳してみてはどうかと言うのだ。聖美はその提案を、少し考えた末に承知した。自分の語学力を有効に使ってくれない会社に嫌気がさしていたところでもあった。

翻訳作業など初めてのことだったので、仕上げるまでには一年の月日がかかったが、その原稿を読んだ友人は約束を違《たが》えず出版まで漕《こ》ぎ着けてくれた。発売された本は、当初こそあまり話題にならなかったものの、じわじわと口コミで売れ続け、今では十五万部のベストセラーとなっている。日本人の感性に絶対合うと考えた聖美の判断は、見事に的中したのだった。

そうして翻訳家として幸運なスタートを切ってみると、この世界でどこまでやれるものか確かめてみたいという欲が出てきた。もともと他人に使われる立場よりも、自分で何かをしてみたいと考えていた聖美には、翻訳業はまさに打ってつけの仕事だった。二十代後半で自分の訳書を出版するという、翻訳者としてはかなり早いデビューを遂げると、もはや聖美にとって結婚などは興味の対象から完全に外れた。この世界で満足のいく仕事さえできれば、世間並みに家庭を持つのなど何ほどのこともないと思えた。それだけに聖美は、自分の担当者までもが嬉々《きき》として専業主婦になろうとしているのには、苛立《いらだ》ちを通り越して落胆すら覚えていた。自分だけはそんな馬鹿なことはしないと、頑《かたく》なに心に誓ってしまうのだった。

だからその電話がかかってきたときも、聖美はうんざりする気持ちを抑えきれなかった。電話口に出たときには相手が誰だかわからなかったが、すぐに高校時代の友人だと思い出すと、いやな予感が胸を走った。しばらく疎遠であった知り合いから電話がかかってくれば、それはたいてい結婚するという報告だからだ。

「久しぶりね」

相手は聖美の困惑など知らぬげに、昔を懐かしむように言った。その幾分舌足らずな口調で、聖美は相手の顔を思い出した。確か高校二年のときに同じクラスだった、及川真砂子《おいかわまさこ》という名の女性のはずだった。

声を聞いてもすぐに思い出さなかったのは、十数年ぶりの会話ということもあるが、聖美が及川真砂子とそれほど親しい付き合いをしていなかったからという理由が大きかった。何度か同窓会で顔を合わせたことはあるが、卒業してから個人的な交流は一度もない。こうして親しげに電話をもらうような関係ではなかった。

そのために聖美は、とっさに結婚を連想した。その後の真砂子の消息を知らなかったが、まだ独身だったようだ。三十を過ぎての結婚ならば、喜びもひとしおなのだろう。だからこそこうして、大して親しくもなかった聖美にまで電話をしてきたに違いない。これまでに何度も経験してきたことだけに、聖美は真砂子の心の動きが手に取るように理解できた。真砂子は聖美が翻訳家として活躍していることを誰かから聞いていたらしく、「すごいわねぇ」とおっとりした口振りで誉めた。そのくせよくよく話を聞いてみると、聖美の訳書の一冊とて読んでいないようだった。よくあることなので聖美はさして腹も立てず、適当に相槌《あいづち》を打って相手が本題に入るのを待った。

「実はね、今日突然電話したのは、今度あたし結婚することにしたからなの」

果たして真砂子は、予想と寸分違わぬ台詞を口にした。聖美は一瞬、披露宴に呼ばれてしまうのだろうかと身構え、出費は三万円で済むだろうか、それとも五万円包むべきだろうかと考えた。呼ぶ方は気楽に呼んでくれるが、出席する側に祝儀はなかなか負担である。せめて二次会だけの誘いであってくれればいいがと、聖美は白けた思いの中で期待した。

「相手はねぇ」真砂子は結婚を控えた者特有の、相手の気持ちなどまるでおかまいなしの浮き立った声で続けた。「神原《かんばら》君なのよ。憶《おぼ》えてる？　神原篤《あつし》君」

その名前を聞いて聖美は、ようやく真砂子の言葉に真剣に耳を傾ける気になった。正直言って〝神原〟という名は今の今まで忘れていたが、真砂子の口から告げられれば当時のことを否応《いやおう》なく思い出す。聖美は受話器を握り直し、真剣に応じた。

「憶えてるわよ。神原君なの、結婚相手って？」

「そう。恥ずかしいけど」

頰を赤らめているのが見えるような、真砂子のはにかんだ声音だった。高校時代の同級生といまさら結婚するというのが、三十を過ぎた女の羞恥心《しゅうち》を誘うのだろうが、聖美はそこに単純ならぬ真砂子の感慨を読み取ったように思った。どういうつもりで電話をしてきたのかと、相手の心底を訝《いぶか》しんだ。

「未だに付き合いがあったんだ」

探りを入れるように問うと、真砂子はあくまで無邪気に応じた。

「高校の頃からずっと付き合いがあったわけじゃないわよ。再会したのはほんの二年前。それ以来のことなの」

「神原君も独身だったのね。知らなかったわ」

「そうなのよ。あたしはともかく、彼はほら、あのとおりかっこいいからさ、これまですごくもてたんだろうけど、なんだか結婚まで至るような縁はなかったみたいね」

「そのかっこいい彼を射止めたというわけね。どうもごちそうさま」

からかうと、真砂子は「いやね」と言ってくすくす笑った。幸せいっぱいの女だけが発することのできる、一点の曇りもない軽やかな笑い声だった。聖美は素直に「おめでとう」と言い添えた。

「よかったね。好きな人と結婚できて」

言ってから、聖美は自分の発言に驚き、息を呑《の》んだ。思わず考えなしに、相手の神経を逆撫《な》でするようなことを言ってしまったのだ。しまったと口を押さえたがもう遅く、かえって不自然な間が空いてしまった。どう取り繕おうかと必死に頭を捻《ひね》っていると、考えるまでもなく向こうから口を開いてくれた。

「そうなの。ホントに嬉《うれ》しい」

衒《てら》いのない、無邪気な喜びの言葉だった。聖美の発言を気にした様子もない。聖美はほっと胸を撫で下ろし、自分から話題を変えた。

「それで、いつ式を挙げるの？」

尋ねると、真砂子は少し申し訳なさそうに声を落とした。

「それがね、実は式はもう挙げたのよ。明日から新婚旅行」

「ああ、なんだ。そうだったの。それはいいわね」

では結婚式に人数合わせで呼ばれることもないのだなと、聖美は現金に考えた。親しい友人ならともかく、ただ高校時代に同じクラスだったという縁だけで祝儀を取られてはたまらない。他人の幸せを妬《ねた》むほどいじましい性格ではなかったが、突然の出費は自由業の聖美にはかなりの痛手なのだった。

「でね。出発前に高校時代の友人で集まって食事会をしようかっていう話があるんだけど、もしよかったら倉田さんも来てくれない？」

「出発前にって、明日出発なんでしょ。つまりは今日これからってこと?」

「そうなの。いきなりで失礼かと思ったけど」

こちらの機嫌を伺うような口調で、真砂子は気弱げに言う。聖美はすぐに、おおよその事態が把握できた。

彼らは親しい付き合いがある者たちだけで食事会を計画していたのだが、その中のひとりが都合で突然来られなくなったのだろう。場所の予約をしてしまったために、今から断っても最初に告げた人数分の料金を取られる。そこでその埋め合わせとして聖美に声がかかったのだ。真砂子の申し訳なさそうな口振りは、つまりそういうことなのだった。

聖美はその扱いに腹を立てるでもなく、むしろ安堵《あんど》を覚えていた。そういう事情であれば、真砂子が自分に電話をしてきたわけも理解できる。聖美だけが意識過剰になって、相手の意図を深読みしすぎていたようだった。

「いいわよ、何時から?」

身構えていただけに気が楽になって、聖美は軽く応じた。三十を超えた神原に再会できるというのにも興味をそそられる。ちょうど急ぎの仕事が片づいたばかりだったので、少し息抜きをしてもよいかと考えた。

「六時から、東京プリンスホテルの中の中華料理屋さんでなんだけど、大丈夫かしら」

「六時ね。うん、わかった。喜んで伺うわ」

「よかった」

真砂子はホッとしたように言うと、店の名前と会費を説明した。久しぶりに会えるのを楽しみにしてると言い置いて、通話を終える。受話器を置いて聖美は、かつての友人との再会にしばし心を浮き立たせた。

3

及川真砂子と神原篤の組み合わせには、聖美はいささか苦い思い出を抱いている。真砂子から電話をもらうまでそんなことは綺麗《きれい》に忘れ去っていたのだから、我ながら薄情なものだと思うが、十数年前の記憶となれば朧《おぼろ》になっていても無理はなかった。だが聖美は、食事会に着ていく服を選びながら、当時のことを徐々に記憶の底から探り出していた。

及川真砂子という名には格別の思いもなかったが、神原篤と聞けば軽く胸が締めつけられる気がする。神原は聖美が付き合った、初めての異性なのだった。真砂子が言うように当時から神原は卓越した容姿の持ち主で、女子たちの人気を独り占めしていた。高い身長を生かしてサッカー部でゴールキーパーをしていた神原は、その端整な顔に似ず激しい気性の持ち主だった。練習で手を抜く後輩を見つけては怒鳴り、試合で相手チームに得点されてはゴールポストに殴りかかった。彼にとって興味の対象はサッカーしかなく、自分を巡って騒ぐ女子たちには冷淡な態度をとっていた。しかし逆に、そうした超然とした素振りがまた、熱を上げる女子たちを魅了してもいたのだった。

当時の聖美もご多分に漏れず神原に熱い思いを抱く女子のひとりだったが、いささかプライドの高いところがある聖美は他の女生徒と一緒になって騒いだりはしなかった。ただ遠くから神原の練習風景を見つめ、世話を焼きたがって神原にいやがられる女子たちの姿を眺めていた。だから聖美の神原に対する思いを知る者は、友人の中にもひとりとしていなかった。

そんな聖美が神原と接近する機会を与えてくれたのが、他ならぬ及川真砂子だった。当時三人は同じクラスで、互いに用があれば会話を交わす程度の間柄ではあった。聖美は真砂子と親しくしていたわけではなかったが、どうしたことかあるときふと彼女から真情を吐露される場面が訪れた。聖美は所属していた美術部の都合で下校が遅くなり、やはり部活の関係で教室に居残っていた真砂子とふたりきりになったのだ。真砂子は教室の窓から校庭を見下ろし、ひとり呆然《ぼうぜん》としていた。聖美はその視線の先を追い、真砂子が神原の姿を見つめていることに気づいた。

『及川さん』と声をかけると、真砂子は慌てて振り向いた。自分が人目を忘れて神原を見つめていた場面を目撃され、とたんに頰を赤らめる。その様子を見て聖美は、真砂子もまた神原を好いているのだと悟った。

そのとき聖美は、理不尽にも自分の大切なものを汚されたような怒りを覚えた。寄り集まってキャーキャーと騒いでいる者たちは別にかまわない。ああいう連中に神原が振り向く日は、金輪際来ないとはっきり確信できるからだ。だがこうして遠目から見つめているのは容認できなかった。それは自分だけに許された、密《ひそ》やかな特権のように聖美には感じられていたからだ。

聖美は内心の憤りを抑えて、真砂子にゆっくり近づいた。真砂子が坐《すわ》っている席の前に腰を下ろし、校庭に視線を転じる。そして真砂子の顔に目を戻してから、おもむろに指摘した。

『及川さん、神原君が好きなの』

すると真砂子は、思いがけないほどの激しさで狼狽《ろうばい》を示した。顔を病人のように真っ赤にさせ、肩をすぼめて俯《うつむ》く。想いを悟られ、恥ずかしさにそのまま消え入りたいとでもいった様子だった。

そこで聖美は、ふと残酷なことを思いついた。真砂子の思いをそのまま神原に伝えてやろうと考えたのだ。聖美は何もかも承知したことをわからせるように頷《うなず》き、神原に気持ちを打ち明けてみてはどうかと勧めた。真砂子は激しく首を振って、『そんなこと、できないわ』と拒否したが、聖美はそこで引き下がりはしなかった。気弱な相手を押し切り、自分の口から神原に真砂子のことを伝えてやると約束した。真砂子は最後まで抵抗していたが、強引な聖美に根負けした形で成り行きを任せることになった。その日聖美は真砂子と一緒に下校した。

翌日の休み時間に、聖美はさりげなく神原に近づき、相談したいことがあると告げた。神原は特に不審がる様子もなく、聖美の誘いに応じて屋上までついてきた。そこで聖美は、真砂子が神原を好いていることをそのまま打ち明けた。

案の定、神原は困ったような顔をした。クラスの中でも目立たない真砂子は神原の視野に入っていなかったらしく、彼にとってその好意は戸惑いしか呼び起こさなかったようだ。神原は率直に困惑を口にし、『どうしたらいいだろう』と聖美に解決案を求めた。聖美もまた、一緒になって対処の方法を考える振りをした。

そうして口外できない悩みを共有することで、聖美と神原は接触する機会が多くなった。他人の耳を気にしてふたりだけで会ううちに、以前には存在しなかった親しみが生じてきた。それはやがて、神原の中でも恋愛感情へと成長してゆき、いつしかふたりは恋人として交際するようになっていたのだった。

聖美は密かに憧《あこが》れていた神原と付き合えることに有頂天になっていたが、その気持ちはいつまでも長続きせず、高校卒業を機に終わりを告げた。聖美は志望していた短大に合格して大学生となり、対照的に神原は受験に失敗して浪人生となった。境遇が完全に違ってしまったふたりの仲は、決定的な別れの言葉すらなく自然消滅した。しょせんは子供の恋だったその交際の終わりは、双方の心にさしたる傷を残さず、よい思い出として記憶の底にしまい込まれた。まして交際のきっかけとなった真砂子のことなど、聖美は電話をもらうまで一度として思い出しもしなかった。

今から思えばかなり残酷なことをしたものだと反省するが、それもこれもすべて時効の話だった。結果的に真砂子が神原と結婚したのならめでたいことであり、聖美が嫉妬《しっと》する余地は寸分もない。聖美としては複雑な思いなどまるでなく、ただかつての淡い恋を回想するために食事会の席へと赴いた。

4

東京プリンスホテルは行き慣れた場所ではなく、自宅からどれくらいの時間で到着できるかわからなかったので、聖美は約束の二時間前に出発した。水道橋《すいどうばし》で都営三田《みた》線に乗り換え、御成門《おなりもん》駅で下車する。駅に降り立ったときには、まだ五時二十分だった。

少し早く来すぎたかと思ったが、会場が中華料理屋ならば個室を用意しているのだろう。予約時間より早めに行ったとしても、その場で待たされるようなことはなく個室に通してくれるに違いない。聖美はそう踏んで、真っ直ぐに東京プリンスホテルへと向かった。

正面玄関を入って、フロント脇の案内板で目指す店の所在を探す。すぐに店の名は見つかり、この建物の二階にあることがわかった。聖美はエレベーターを使わず、階段で二階へと上がった。

中華料理屋は階段を上りきってすぐ、廊下の突き当たりの位置にあった。頭上に極彩色の龍を構えた入り口をくぐり、出てきたウェイターに真砂子の名を告げる。ウェイターは慇懃《いんぎん》に頭を下げて、すぐに聖美を先導して奥へと向かった。

部屋に辿《たど》り着くと、ウェイターはドアを開けて再度恭《うやうや》しく低頭した。聖美はそれに軽く頷きかけてから、部屋の中に入った。

ほとんど装飾がない真っ白の部屋の中に、大きな丸テーブルだけが存在していた。テーブルは六、七人の人数で囲めるほどの大きさだが、今はそこにひとりしか姿が見えない。部屋の一番奥に坐ったその人物は、聖美を認めると立ち上がって歓迎の意を示した。

「倉田さん、お久しぶり」

真砂子はこちらに両手を広げるようにして、再会の喜びを表した。当時から童顔であった真砂子は、十数年を経てもあまり老けた感じはしない。そうした少女めいた仕種《しぐさ》をしても、少しも滑稽《こっけい》な感じはなかった。

「久しぶりね」

聖美も微笑んで、真砂子の前に進んだ。ほとんど反射的に、自分の姿が相手にどう映るだろうかと推し量る。十数年の歳月は自分を大人びて見せてくれるだろうか、それともただ単に年を重ねたと受け取られるだろうか。旧友との再会の際には、いつもそうした単純ならぬ思いが脳裏をよぎってしまう。

聖美の目には、真砂子は当時とほとんど変わっていないように見えた。むろん、三十を過ぎた今でも高校生と見紛《みまが》うほど若いというわけではない。それなりの年輪が容貌《ようぼう》に刻まれてはいるのだが、それが体の芯《しん》にまでは届いていないとでもいうように、どこか童女めいた雰囲気を残している。小柄な体軀《たいく》とふくよかな丸顔がそう見せるのだろうが、それだけではない幼い精神性とでもいうべきものが肌の下に透けて見えるようだった。自分と同じ年であるにもかかわらず、未《いま》だ成長しきっていない様子の真砂子に、聖美はいささか驚かされた。

真砂子は聖美のそばに駆け寄ると、嬉《うれ》しそうに手を取って握った。そんな行動も三十路《みそじ》の女にはふさわしくなかったが、そんなことよりも聖美は、自分の手を握る真砂子の手の冷たさに気を取られた。まるで今まで氷を握っていたかのように、真砂子の手はひんやりと冷え切っていた。クーラーが効き過ぎているのではないかと、ふと周りを見回してしまったほどだった。

改めて見れば、真砂子は顔色もあまりよくない。室温が低すぎる部屋に長くいたので、体温が奪われてしまったのかもしれない。聖美は嬉しそうに笑っている真砂子に微笑み返しながら、そのようなことをつらつらと考えた。

「倉田さん、大人っぽくなったわねぇ」

真砂子はそんな間の抜けたことを、聖美の顔を見ながらしみじみと言う。三十を過ぎた女を摑《つか》まえて、『大人っぽくなった』もないものだが、真砂子の口からそう言われるとさほど違和感もない。聖美はそのまま誉め言葉と受け取り、「ありがとう」と応じた。

「それよりも、及川さんこそ変わらなくて羨《うらや》ましいわ。とてもあたしと同じ年とは見えない」

「子供っぽいからね、あたし」真砂子は恥ずかしそうに言って、ようやく手を離した。

「さあ、坐って。このまま立ち話もなんだから」

勧められ、聖美は椅子を引いて腰を下ろした。真砂子は嬉々《きき》としてその隣に坐る。聖美と再会できたのがよほど嬉しいのか、片時も視線を逸《そ》らさなかった。高校当時のいきさつを思い出せばいささか鬱陶《うっとう》しい視線ではあったが、さりとて真砂子の目つきに他意はなさそうだった。真砂子はただの、新婚旅行を控えて浮かれている女でしかなかった。

「他の人はまだ来てないのね」

聖美は空いている席に軽く目を向けて、真砂子に問うた。真砂子は「うん」と子供のように頷いて、壁に掛かっている時計に目をやった。

「まだ早いからね。これから来るでしょう」

「誰を呼んであるの？」

尋ねると、真砂子は懐かしい名前を列挙する。どの名も遠い忘却の彼方《かなた》に埋もれ、記憶にある顔と一致しなかった。聖美は単純に、かつてのクラスメートたちとの再会を楽しみに思った。

「神原君は？」

肝心の花婿はどこに行ったのかと、いまさらながらに気づいた。真砂子ひとりだけがここにいるのは不自然である。トイレにでも行っているのだろうか。

「うん、ちょっと用事があって。これから来るわ」

真砂子は変わらぬ恬淡《てんたん》とした口調で答える。その曖昧《あいまい》な返事からすると、なにやら趣向があるのかもしれない。それならあまり追及しては悪いかと、聖美は放っておくことにした。

ハンドバッグは部屋の隅に置いておけばいいと勧められ、聖美は思い出したようにその口を開けた。中から、ここに来る途中で引き替えてきたデパートの商品券を取り出す。一万円分に過ぎなかったが、披露宴に呼ばれたわけではないのだからかまわないだろうと考えた。「少ないんだけど」とそれを差し出すと、真砂子は恐縮して受け取った。聖美からそのようなものをもらえるとは考えてもいなかったようで、しつこいばかりに真砂子は礼を繰り返した。あっさりした付き合いを好む聖美は、その粘着質な真砂子の反応にはいささか辟易《へきえき》したが、むろんそれを表に出すようなことはしなかった。

久闊《きゅうかつ》を叙する言葉のやり取りが一段落すると、やはり話題は当時のクラスメートたちのその後に移行した。卒業以来すっかり高校の友人とは縁が遠くなっていた聖美は、初めて耳にすることばかりで驚きの連続だった。今日来る者の中には、すでに結婚も三度目という強者《つわもの》もいるらしい。聖美が目を回して天を仰ぐと、真砂子は恥ずかしそうに「実はね」と切り出した。

「実はあたしも再婚なのよ。以前に一度結婚してるの」

「ええっ、本当？」

その言葉には度胆《どぎも》を抜かれ、聖美はまじまじと真砂子の顔を見返した。真砂子は青白い頰を幾分赤らめて俯《うつむ》いている。聖美の聞き間違いなどではなかったようだ。

「知らなかったわ。それは大変だったわね。それで前の人とは離婚したの？」

旧友の気軽さで尋ねると、真砂子は「ううん」と首を振る。顔を上げ、口許《くちもと》に微笑を含んだまま続けた。

「死別したの。二十四のときに結婚した人だったんだけど、脳腫瘍《のうしゅよう》ができて亡くなったのよ」

「脳腫瘍」

思いもかけない話の展開に、聖美は胸苦しさを覚えた。若くして夫を脳腫瘍で亡くすとは尋常でない。そのときの真砂子の苦悩を思えば、安易な慰めの言葉を口にすることはできなかった。絶句してしまった聖美をよそに、真砂子は童女のような顔で淡々と語った。

「その人はあたしと同じ年で、当時まだ三十だったのよ。三十で死ぬなんて、あまりにも早いわよね。あたしと結婚したせいで、そんなに早く死ななくちゃならなかったなんて、ホントにかわいそうな人だったわ」

「な、何を言ってるのよ。あなたと結婚したから早死にしたって、どういう意味？」

真砂子の自虐的な言葉に、思わず聖美はつり込まれた。あまりにも早い夫の死に、真砂子は筋違いの自責の念を覚えているのだろうが、病気ばかりは仕方のないことである。ましてそれが、二度目の幸せを摑もうとしている女の口から発せられるには、あまりにも似つかわしくない言葉だった。

「あたしはねえ、男の人を駄目にしてしまう女なの。あたしと関わると、男の人はみんな運気を使い果たしてしまうのよ」

真砂子は唄《うた》うように言った。その表情は先ほどまでとまるで変わらず、口許の笑みもそのままだった。何を突然言い出すのかと、聖美はいささか薄気味悪さを覚えて身を引いた。

「考え過ぎでしょ。そんなことを言うのはよくないわ。最初の旦那《だんな》さんが亡くなったのはショックでしょうけど、今はもう過去のことは忘れて神原君に幸せにしてもらいなさい」

奇矯な真砂子の物言いに、聖美はごく常識的な言葉で応じた。もしかしたら真砂子は、マリッジブルーで精神の平衡を欠いているのかもしれない。珍しくもない話ではあったが、さりとてこのまま放っておくわけにもいかなかった。こうしてふたりで個室の中にいるからには、真砂子の言動を窘《たしな》めてやるのが聖美の義務と思われた。

「違うのよ、考え過ぎじゃないの」しかし真砂子は、聖美の親切心などまるで感じていない様子で、頑迷に否定した。「だってあたし、男の人が死ぬのを見るのは初めてじゃなかったんだもん」

「どなたか親戚《しんせき》が亡くなったりしたって言うの？　でもそれは誰にだって起こることよ。悲しいけども、身内が死ぬのは誰のせいでもないんだから。及川さんの責任だなんてこと、あるわけがないじゃない」

「でも、そうなの」

真砂子はまるで子供のように主張し続けた。童女めいた顔は、その頑固さをより助長して見せている。聖美はうんざりした気持ちが兆してくるのを抑えきれなかった。

「あたしはね、弟が死ぬのを目の前で見てるの。弟が死んだのは、あたしのせいなの」

真砂子はどうやら、奇妙な告白をすべて終えずにはいられない衝動に取り憑《つ》かれているらしい。聖美はもう尋常な返事をするのはやめ、そのまますべてを語らせてやることにした。

「あたしにはふたつ年下の弟がいたんだけど、交通事故で六歳のときに死んじゃったのよ。小学校に入ったばっかりでね、買ってもらった新しいランドセルが嬉《うれ》しくてしょうがないみたいだったのをよく憶《おぼ》えてるわ。弟はあのランドセルを背負ったまま、ダンプカーに轢《ひ》かれたの。痛かっただろうけど、でも好きなランドセルを背負ったままだったから、少しは幸せだったかもしれないわね」

真砂子の口許には、まるで顔面にへばりついたような笑みが依然浮かんでいる。それは自分が語る不幸に陶酔しているかのようですらあった。聖美は居心地が悪くなり、みんなが来たら適当な口実を作って早々に退散しようと強く考えた。

「弟がダンプカーに轢かれたのは、道の反対側からあたしが呼んだからなの。その日あたしは、どうしてだか弟より早く下校していたのね。で、帰ってくる弟を見つけて、何も考えずに手を振ったのよ。そうしたら弟は、あたしを見て嬉しそうに車道に飛び出したわ。あたしたちは仲がいい姉弟《きょうだい》だったから、弟はいつものようにあたしにじゃれつこうとしたんだと思う。でも弟は、あたしのところまで来ることはできずに、ダンプカーに撥《は》ねられてしまった。すぐそばにいたあたしは、何もしてあげることができなかったわ。ただ目の前で、弟がスイカみたいに潰《つぶ》れてしまうのを見てただけ」

「……かわいそう」

口を挟むまいと思っていたが、あまりに生々しい真砂子の描写に、聖美は無意識に呟《つぶや》いていた。真砂子はそれを聞いて、そのとおりとばかりにこくりと頷《うなず》いた。

「そう、かわいそうよね。あたしが悪いんだわ。でもあたしは、そのときはまだ自分が男の人に不運をもたらす女だとは気づいていなかった。父が死んだときも、まだ気づかなかったわ」

「お父さんも亡くなってるの?」

「そう。あたしが中学の頃に、心筋梗塞《こうそく》でね。でも原因となる病名はそうでも、父の死は完全に過労死だったわ。父は働き過ぎだったから」

「じゃあ、それは及川さんの責任じゃないじゃない。どうして自分が悪いって言うの?」

「父は健康な人だったから、そんな病気でぽっくり逝ってしまうはずはなかったのよ。あたしみたいな娘さえいなければ、父はもっと長生きできたはずなの」

真砂子の言葉は、もはや他人を納得させるだけの理屈を欠いていた。聖美ははっきりと真砂子に異常性を見いだし、ますます居心地悪く感じた。時計に目をやると、時刻は五時四十五分だった。もうそろそろ他のメンバーが到着してもよい頃だ。早く誰か来てくれないだろうかと、聖美は心底からそれを熱望した。

するとその願いが通じたように、背後のドアが開く音がした。聖美はすぐに振り向き、希望を込めてそちらを見やった。誰であろうと、これ以上真砂子とふたりきりでいずに済むのなら大歓迎だった。

「やあ、倉田さん」

ドアの向こうから現れた男は、親しみを込めた声でそう言った。男は神原篤だった。

5

神原は高校当時の面影を残してはいるものの、聖美の予想以上にいい年の取り方をしていた。口許に刻まれる笑い皺《じわ》は、年経た男にだけ醸し出せる悠々とした余裕を感じさせる。唇の間からこぼれる歯列は白く、その爽《さわ》やかさだけは当時といささかも変わらなかったが、なぜか顔色は真砂子と同じように青白かった。

「久しぶりだね、元気だった？」

神原は過去のいきさつなど完全に忘れた口振りで、明るく尋ねてきた。聖美は我知らず鼓動が高鳴るのを覚え、「ええ、元気よ」と答えた。

「そちらこそ元気そうでよかったわ。今、及川さんから妙な話を聞かされてたから」

息苦しさが断ち切られたことにほっとして、聖美はついよけいなことを言ってしまった。一瞬後に自分の言動に気づいて慌てたが、神原は気にした様子もなかった。「また妙な話をしてたんだな、真砂子は」と闊達《かったつ》に言うと、真砂子の隣の椅子に腰を下ろした。

「真砂子の得意な話なんだよ。自分と関わる男は死ぬって内容だろ。そんなことあるわけないって言ってるのに、ぜんぜん聞いてくれないんだ。それが事実なら、ぼくまで先は長くないってことになっちゃうじゃないか」

なあ、と顔を振り向けて聖美に同意を求めてくる。聖美は「そうよ」と応じたが、真砂子は反応を示さずじっとこちらを見つめていた。その粘りけを伴った視線に、ふたたび聖美は息苦しさを覚えた。

「結婚おめでとう。ふたりが結婚するなんて、当時は夢にも思わなかったわ」

重い空気を振り払うように、聖美は神原に話しかけた。もう聖美としては、真砂子の話には付き合いたくもなかった。神原が来てくれたのをいいことに、真砂子を無視して明るい話に興じようと考えた。

「人の縁なんて、不思議なものだよね。ぼくだって自分が真砂子と結婚するとは、これっぽっちも考えなかったよ」

陰気に黙り込んでいる真砂子とは対照的に、神原は明るい口調で答える。高校当時の楽しかった付き合いが瞬時に甦《よみがえ》ったようで、聖美も気軽に応じることができた。

「どうしてふたりが付き合うようになったの？　教えてよ」

「いやぁ、すごい偶然の話でさ」神原は照れ臭そうに頭を掻《か》いた。「おれがちょっとした交通事故で入院してたときに、その病院に真砂子の前の旦那が入院してたんだ。そこでばったり再会というわけ」

「じゃあもしかして、前の旦那《だんな》さんを亡くして悲しんでいる及川さんを、神原君が慰めてあげたのがきっかけってことなの？」

「それがさ――」

「その頃あたしは妊娠してたの」

神原の言葉を遮って、真砂子が唐突に口を開いた。視線は先ほどからじっと聖美の顔に据えられている。聖美はそれを鬱陶《うっとう》しく感じていたが、あえて気づかない振りをしていたのだ。真砂子は無心な童女の顔で続けた。

「前の夫の子よ。夫が不治の病気で死んだとしても、あたしには彼との間の子供が残されるはずだった。それなのにね、あたしはその子を産むことができなかったの。流産してしまったのよ」

真砂子の隣に坐《すわ》る神原は、何かを言おうと口を開いたが、結局そのまま言葉を呑《の》み込んでしまった。その話は彼にとっても重い話題であるためか、先ほどまでの明るい表情は消えて沈鬱《ちんうつ》な面もちになっている。聖美はふたりを祝福するためにここに来たことも忘れ、真砂子などこの場から消えてしまえばいいのにと密《ひそ》かに考えた。

「その赤ちゃんの性別はどっちだったと思う？　男だと思う？　それとも女」真砂子は返事を待つように一拍おいたが、聖美が応じる前に自ら答えた。「男だったのよ。またしても男。きっとその赤ちゃんは、女の子だったら産まれてたはずなんだわ。男だからこの世に出てくることができなかったのね」

「ごめんな。最近真砂子はあれこれ考え過ぎちゃって、疲れてるようなんだ」

神原は眉《まゆ》を顰《ひそ》めて、聖美に軽く頭を下げる。神原が尋常な応対をしてくれることが、せめてものこの場の救いだった。

「だからあたしはね」

しかし真砂子は、そんな神原の言葉など耳に入っていないようだった。すべてを話し尽くさなければ気が済まないとばかりに、あくまで淡々と言葉を継ぐ。もうやめてくれと、聖美は耳を塞《ふさ》ぎたい思いだった。

「篤さんと結婚することになったとき、彼だけひとりで死なせはしないって誓ったの。もう大事な人に先立たれるのはいや。ひとりで残されるのは絶対にいや。篤さんが死ぬときはあたしも一緒に死にたいって、強く強く願ったわ。もう離ればなれになりたくないから」

「真砂子がそう思うのも無理ないんだよ。これだけいろいろ不幸が重なればね。でも真砂子の最後の願いだけは、天も聞き届けてくれたようなんだ。だからぼくらは、今こうして一緒にいることができる」

「は？」

ごく正常な口振りで語られた神原の言葉は、聖美にとって理解不能だった。冗談を言っているのだろうかと神原の顔をまじまじと見返したが、その表情は至極真剣である。一瞬後には笑い出すのではと淡い期待を抱いたものの、神原の表情はとうとう崩れなかった。

「あたしたちね、本当は今日新婚旅行に出発したのよ。タイのプーケットに」言葉をなくしている聖美に、真砂子は嬉《うれ》しそうに言った。「でもね、やっぱりあたしのせいで、篤さんは死んでしまったの。飛行機が落ちたのよ。それでも今度ばかりは、あたしはひとりで取り残されることもなかったわ。篤さんはあたしを置いていったりしなかった。あたしも一緒に死ぬことができたから」

「な、何言ってるのよ。死んだ、って言っても、あなたたちはそこにいるじゃない。悪い冗談はやめてよ」

クーラーの風の加減だろうか、首筋にひやりとした冷気を感じ、聖美は椅子ごと後ろに下がった。異常なことを淡々と語る眼前のふたりが、薄気味悪い存在に思えてくる。真砂子と神原は、同じように青白い顔で聖美のことをじっと見つめていた。

「冗談なんかじゃないわよ。ほら、冷たいでしょ」

真砂子は言うなり、不意に聖美の手を摑《つか》んだ。聖美は「ひっ」と声を上げて手を引いたが、一瞬だけ触れられた甲には氷のような冷たさが残った。その触感に、ふたりの言うことが冗談でもなんでもないことを悟った。

「ど、どうしてよ。ふたりとも幽霊だって言うなら、どうしてあたしをこんなところに呼び出したのよ。あたしに何か恨みでもあるって言うの？」

立ち上がることもできず、椅子に坐ったままじりじりと聖美は後ずさった。顔を背けてしまいたいのに、視線は膠着《こうちゃく》したようにふたりの薄い笑みに奪われている。ちょっとしたきっかけさえあればすぐにも失神してしまいそうなほど、胸の中の恐怖は極限まで張りつめていた。

「もちろん恨みはあるわよ。高校のときのことを忘れたの？　あのときあたし、倉田さんのことを心から憎んだんだから」

真砂子は言葉と裏腹に、童女の笑みを崩さなかった。その様は、瞬時に鬼女面《きじょめん》に変化するからくり人形に酷似していた。聖美は自分の歯がかたかたと鳴る音を聞いた。詫《わ》びを口にしようにも、もはや言葉を発することさえできなかった。腰から下がぞっとする脱力感に襲われ、自分のものではないように感じられる。心の中では悲鳴が舞い狂っているのに、それはいっかな口を割って飛び出しては来なかった。聖美はただ、呆《ほう》けたように「あ、あ、あ」と無意味な音を発するだけだった。

どれほど冷たい沈黙が続いただろうか。突然静寂を切り裂く哄笑《こうしょう》が湧き上がり、聖美の金縛りを破った。真砂子と神原は身を折って笑い、そのまま椅子から転げ落ちてしまいそうですらあった。

「嘘よ、嘘嘘。幽霊なんているわけないじゃない」

目に涙を浮かべて笑い続ける真砂子は、爆笑の間から切れ切れにそう言った。隣の神原も、心底滑稽《こっけい》なものを見たとばかりに腹を抱えている。ようやく聖美は、自分がからかわれたのだということに気づいた。

「……嘘だったのね」

「もちろんそうだよ。本気にする方がどうかしてる」神原は立ち上がって手を叩《たた》くと、目に浮いた涙を拭《ぬぐ》った。「手が冷たいのだって、ほら、腕の付け根を縛ってたんだよ」

真砂子の手を持ち上げて、服の袖《そで》を捲《まく》り上げる。確かに神原が言うとおり、真砂子の腕は付け根を紐《ひも》で縛られていた。

「腕が痺《しび》れちゃって参ったわ。早くほどいてよ」

「わかったわかった」

真砂子が甘えた声でそう訴えると、神原もおどけて答えた。放心した聖美の胸には、沸々と怒りが湧き上がってきた。

「どういうことよ！　ちゃんと説明しなさいよ」

立ち上がって詰め寄ると、真砂子はなおも笑いの衝動で肩を波打たせながら言った。

「さっき言ったとおりよ。高校のときのお返し。ちょっとした冗談だけどさ、でも脅かしてやりたかったんだ」

「君が親切心からぼくらの仲を取り持とうとしたわけじゃないってのは、真砂子に聞くまで気づかなかったよ。だから少しお灸《きゅう》を据えてやろうと思ってね。効きすぎたかな」

神原も一緒になって楽しげに言う。聖美は憤りに目の前が赤くなるほどだった。

「そういうことだったの。いい趣味してるわね。似た者同士で、きっと夫婦仲はうまくいくわよ」

言葉を投げつけても、ふたりはただ笑い続けるだけだった。聖美は腹立ちを抑えきれず、ハンドバッグを掴むとそのまま部屋を出た。背後からはまたしても爆笑する声が聞こえた。

6

どうにも肚《はら》の虫が治まらず、帰宅しても何もする気になれなかった。乱暴にハンドバッグを投げ捨てると、そのままソファに寝そべる。自分があのようなたわいもない嘘に引っかかってしまったことが、口惜しくてならなかった。

三分ほど天井に視線を据えていたが、いっこうに怒りは癒《い》えない。このまま怒気を腹に溜《た》めていたら今夜は眠れそうにもなかったので、気を紛らわすつもりでテレビのリモコンを手に取った。

スイッチを入れると、画面に映ったのはニュース番組だった。なにやら事故が起きたらしく、死亡者の名前が次々に表示される。どうやら海外で飛行機事故が起きたようだった。真砂子たちがあんな品のない冗談を言っている間に、世界のどこかで本当の事故が起こっていたのだ。それを思うと、ますます彼女たちの悪ふざけが許せない気持ちになってきた。

漫然と画面に見入っていると、機械的に死亡者の名前を読み上げるアナウンサーの声が耳に引っかかった。えっ、と我に返って画面に集中すると、声に遅れて名前が表示される。そこには確かに、〝神原篤〟と〝神原真砂子〟の名が記されていた。

「どういうこと……」

意味がわからず、聖美はただ呆然《ぼうぜん》とひとり呟《つぶや》いた。アナウンサーはしきりに、タイのバンコクで飛行機事故があったことを繰り返している。真砂子たちが新婚旅行で行くと言っていた、まさにその国だった。

〝神原〟という姓も〝真砂子〟という名も、それほどありふれたものではない。どちらかだけであれば単なる同姓同名の可能性もあるが、ふたり揃っていては偶然とは思えなかった。

そのとき聖美は、ふたりを前にしていたとき以上の寒気に襲われた。真砂子と神原は冗談だと笑ったが、あれは本当に悪ふざけだったのだろうか？　真砂子に触れられたときに感じた冷たさは、ただ腕を縛ったくらいで得られるものなのか？　ふたりのあの青白い顔は、あまりにも生気に欠けていなかったか？

混乱した頭の中に様々な疑問が湧き上がっているとき、不意に机の上のコードレス電話が鳴った。取り上げて耳に当てた瞬間、聖美は悲鳴を上げてそれを取り落とした。受話器から聞こえてきた声は、先ほど会ったばかりの真砂子の声だった。

「さっきはわざわざ来てくれて、どうもありがとう。あたしたちが日本に帰ったら、また会いましょうね、倉田さん」

追われる

owareru

1

開口一番、「趣味はなんですか」と訊《き》かれたときには、悪いとは思ったが吹き出しそうになってしまった。見合いではないのだから、もっと気の利いた切り出し方はないものかと思うが、眼前の男にはこれが精一杯の会話の端緒なのだろう。これはなかなか大変かもしれない、と松山《まつやま》千秋《あき》は胸の中でひとりごちた。

だが千秋はそんな思いはおくびにも出さず、にこりと笑って軽く首を振った。

「駄目ですよ、片桐《かたぎり》さん。そんな堅苦しい口調では」

「はあ、そうですか」

それなりに気負うところがあったのだろう、窘《たしな》められて片桐は、消沈したように少し肩を窄《すぼ》めた。三十代も半ばを過ぎた大の男が、千秋のような小娘の前で見せる態度ではなかったが、片桐はいっこうに頓着《とんちゃく》した様子もなかった。千秋を先生として、全面的に頼り切っているのだろう。それがわかるだけに千秋は、滑稽感よりも憐《あわ》れみをより強く目の前の男に感じた。

模擬デートに出発する前に見た片桐のプロフィールを、千秋はこっそりと脳裏で反芻《はんすう》してみた。片桐晴彦《はるひこ》、三十六歳、独身。化学薬品メーカーに勤務。年収六百万円。グレーのスラックスに白いシャツと、外見はもっさりとしてあまり冴《さ》えない感じだが、結婚相手としてそう悪い条件ではなかった。だが片桐は、これまで十五回見合いをし、すべて相手から断られるという憂き目に遭ってきている。こうしたケースによくあるマザコンの気がなくもないようだが、こうして話をしてみると問題はむしろ当人にあるのだろうと推察された。なにしろセンターを出発してからこの喫茶店に入るまでの十分足らず、片桐はしきりにハンカチで額の汗を拭《ふ》くだけで、まるきりこちらに話しかけてこようとはしなかったのだ。席に落ち着いて、「何か話をしなければ間が持ちませんよ」と千秋の方から促すと、しばらく考えた挙げ句に出てきた台詞《せりふ》が先のようなものなのだ。履歴を見れば男子校から理工系の大学に進学し、そのまま就職をしたらしい。そうした経歴の男性にありがちな、まるで女性に対しての接し方を知らない男なのだった。

「じ、じゃあ、どうすればいいんでしょうね」

片桐は完全にこちらを信頼し切った眼差《まなざ》しで、じっと千秋を見つめる。その内気そうな、銀縁眼鏡をかけた平凡な顔を見返して、千秋はわざと大袈裟《おおげさ》に自分の両肩を上下させた。

「まず、肩の力を抜いてください。そんなに緊張していては、相手の女性も戸惑ってしまいますよ」

「ええ、それはわかっているんですが、どうも女性を前にすると身構えてしまって……」

へどもどとした口調で言い、水に手を伸ばす。かなり喉《のど》が渇いているようだ。

「女性は怖い人間ではありませんよ。むしろたいていの人は優しいのですから、構える必要はありません。あまり堅苦しくしていれば、それだけ女性も殻に閉じ籠《こも》ってしまいますよ」

「な、なるほど」

片桐は大きく頷《うなず》くと、胸のポケットから手帳を取り出してなにやらメモを取ろうとする。今度は千秋も、笑いをこらえることができなかった。

「そんなこと、いちいちメモに取ったりしないでください。女性とのデートはマニュアルどおりにできるものではないんですから、むしろ私と話をすることで女性との接し方に慣れるのが今日の趣旨なんですよ。勉強なんて意識があるんだったら、それは捨ててください。本当のデートをしている気分になってくださってかまいませんよ」

緊張して喋《しゃべ》れない男は幾度も見たことがあるが、こちらの言葉に感心してメモを取ろうとした相手は初めてだ。千秋は片桐のあまりの〝重症〟に憐れみが差し、いつもは決して言わない台詞を投げかけた。するとと片桐は、ようやく気持ちがほぐれたように、ぎこちなく口許《くちもと》に笑みを刻んだ。

千秋が片桐とこうして喫茶店で相対しているのは、本当のデートでもなければ単なる酔狂でもない。千秋にとってはれっきとしたビジネスだった。

千秋が勤めている会社は、当初はいわゆる普通の結婚相談所だった。男女の会員を互いに紹介し合い、見合いをセッティングして結婚まで持っていくというオーソドックスな手法を取っていたのだが、ここ数年見合い数は増加しているのに交際率が微増にとどまっているという現象が見られるようになってきた。会社が会員たちにアンケートを採ってみると、不満は主に女性たちの方から噴き出してきた。紹介される男性が皆、あまりに魅力に乏しいというのだ。

事実、結婚相談所にやってくる人は、女性は単なる出会いの一手段と考えている場合が多いが、男性はまったく異性と知り合う機会がないので入会したというケースが多々ある。そうした男性はおしなべて自意識過剰で、口下手であるか自分勝手な饒舌《じょうぜつ》のどちらかであったりする。また服装もただ着ているだけといった野暮ったい物をまとい、一見して女性には縁がなさそうだと思えるタイプなのだ。そうした実態に気づいた会社は、男性の質を向上させるために、女性との接し方を講習するセミナーを実験的に開いてみた。すると定員三十名のところに、五倍の百五十名もの申し込みがあった。セミナーは一回きりのつもりだった会社側は、その人気に押されて常設することに決めた。全カリキュラム分の料金は三十五万円と、決して安くはないのに、毎回すぐに定員が埋まってしまう。世の男性はそれだけ女性への接し方に迷っているという証左のような現象だった。

千秋の仕事は、そのセミナー中の一番の目玉である、模擬デートの相手をすることだった。女性と接する様々な機会をシミュレートした心理劇演習や、緊張状態を和らげるメンタルコントロール演習を経た会員たちは、千秋のような女性を伴って実際にデートをしてみる。そこで千秋たちインストラクターは相手男性の行動をチェックし、その場合場合の女性の気持ちを説明して、会員たちを〝女性慣れ〟させるのだった。

千秋がそうした仕事に就いた当初、友人たちは皆一様に「気持ち悪い」と言ったものだが、千秋自身にはそうした意識はまるでなかった。むしろ自分を向上させようと必死になっている男性たちを見るのは、微笑ましくすらある。彼らの努力に、自分が少しでも手助けできることがあるのなら、できるだけ親身になって接してあげたいものだと考えていた。

千秋が声に出して笑ったことで、片桐の緊張もようやくほぐれたようだった。その後は朴訥《ぼくとつ》とした口調ながら、なんとかこちらと共通の話題を探ろうという努力を始めた。それらは講座で学んだことそのままであったりして、内幕を知っている千秋にしてみれば笑えてしまうようなテクニックを弄《ろう》したりもするのだが、おおむね楽しい会話が続いたと言ってもよかった。「その調子ですよ。お話ししてて楽しいですよ」と励ますと、片桐は少年のように頬を赤らめた。女性に会話が楽しいなどと言われたのは、もしかすると初めてなのかもしれない。

やがて当初の予定の三十分に達したので、千秋はそのことをそれとなく示唆した。場所の移動を切り出すのも、男性側が主導権を握ることになっているのだ。片桐は慌てて自分の腕時計を覗《のぞ》き込むと、「じゃあ、そろそろ……」と曖昧《あいまい》に語尾を濁して立ち上がった。もっとはっきり席を移す意思を表明しないと駄目だ、後でそれを注意しようと考えながら、千秋も続いて腰を上げた。

片桐がレジで会計を済ませるのを、自動ドアのそばでじっと待っていた。すぐに片桐が傍らにやってきたので、千秋は「ごちそうさまでした」と頭を下げた。ここの代金は講習代に含まれているので、センターに帰ってから精算するのだが、あくまで本物のデートに近づけるために男性が料金を払うのだった。

ふたりで連れ立って店を出ると、片桐は立ち止まってじっと足許を見ていた。なにやら考え込んでいるような様子である。どうしたのかと訝《いぶか》り千秋が声をかけると、片桐は決意を固めたような思い詰めた表情で視線を向けてきた。

「最後にひとつ、質問してもいいですか」

「ええ、どうぞ」

模擬デートの一環なのか、それともインストラクターに対しての質問なのかわからなかったが、千秋は取りあえずにこやかに応じた。すると片桐は、ふたたび緊張に身を硬くしながらこう言った。

「松山さんは、付き合ってる人がいるんですか」

「えっ」

思いがけない問いだったので、一瞬ごまかしてしまおうかという考えがよぎったが、努めて男性会員には誠実であるべしという信条が千秋を制した。千秋はさりげなさを装って続けた。

「いませんよ。それがどうかしましたか」

「そうですか」

片桐はそう言ったきり言葉を継ごうとせず、納得したように数度頷いた。その頷きの意味は理解できなかったが、あえて千秋は問い質《ただ》そうとはしなかった。今日のプログラムはもうこれで終了したのだった。

2

片桐の二回目の模擬デートの相手をしたのも千秋だった。講座のカリキュラムでは、全部で三回の模擬デートをすることになっている。一回目は喫茶店、二回目は食事に行き、三回目は受講生が自分で決めることになっていた。

その際相手を務めるインストラクターは、事務処理の都合で決められる。通常は一回目とは違うインストラクターがつくようにセッティングされるのだが、やむを得ず同じ相手にぶつかってしまうこともまれにある。千秋にとってはすべて仕事なので、デートの相手が誰であってもかまわなかった。

だが自分が一回目の模擬デートを務めた相手が、二度目にはかなり打ち解けて話ができるようになっているのは、それなりに喜びを伴うことでもあった。同僚の中には、ただ給料がよいからという理由だけでインストラクターを務め、内心では男性会員たちを軽蔑《けいべつ》している者もいる。そうした人に比べれば、千秋は女性とうまく接することができない会員たちに同情の気持ちを抱いてもいたし、自分の仕事にそれなりの意義も見いだしていた。だから会員が講座の成果を身につけてくれたのを目の当たりにするのは、千秋にとっても嬉《うれ》しいことであった。

片桐は今回のインストラクターも千秋だったことを喜び、浮き立っているようだった。前回の、何を話していいかわからないといった戸惑いは影を潜め、不器用ながらも途切れずに会話のキャッチボールができるようになっていた。千秋も一回目とは違って注意めいたことはせず、ごく普通のデートのように片桐の振ってくる話題に話を合わせていた。

片桐は取り立てて趣味を持ち合わせているわけではなく、長く話をしているうちに結局仕事のことに矛先が向いてしまう嫌いがあったが、それでもこちらと共通の話題を探ろうとする努力は見せた。自分の仕事のどういう点が面白いかを訥々と説明した後に、千秋がどうしてこの仕事に就いたのかと尋ねてきた。

「友人の紹介なんですよ」千秋は正直に答えた。「お給料がいいからやってみないって誘われたんですけど、でもお金だけじゃなくってそれなりにやりがいがある楽しい仕事でした」

「私のような、一緒にいて楽しくもない男性とばかり会っていて、退屈しませんか」

「もし男性と女性が会っていて、女性が退屈したとしても、それは男性にだけ責任があるわけじゃないですよ。この講座に通っている男性の方たちは、全部自分の責任のように感じてしまいますけど、それは違うと思います。楽しい会話なんて、どちらか一方が作り出せるものじゃないですから」

「そうですか。そう言ってもらえると、私のような野暮ったい者にも、少しは希望が持てます」

「そんなご自分を卑下した言い方をなさらないで、もっと自信を持ってください。自信を持てば、もともと持ってらっしゃる魅力が光り出すんですから」

「そんなこと言ってくれるのは、松山さんだけですよ。松山さんは優しい女性なんですね」

「は？」

自分としては仕事のつもりで言ったことなので、それに対して優しいなどと言われても戸惑うばかりだった。だが、そういうわけじゃないと否定するのも変だったので、千秋は取りあえず「ありがとうございます」と応《こた》えた。なにやらいやな予感が脳裏を走らないでもなかった。

模擬デートの眼目は、女性と接する機会のない男性を、いかに女性慣れさせるかという点にある。そのためにはなるべく本当のデートのように振る舞う方がよいのだが、あまり親密になってしまっては弊害も出てくる。女性に免疫がない男性会員が、当のインストラクターに感情移入してしまうという危険性があるのだ。そのために模擬デートは毎回インストラクターを替えるのが通例となっているのだが、今回はもしかしたらその懸念が当たってしまうことになるかもしれない。片桐が悪い人でないのはよくわかったものの、あくまでビジネスとして接していて恋愛の対象とは見ていない千秋にとっては、あまり好ましくない雲行きと言えた。今回の模擬デートを最後に、片桐とは極力接触しないようにしようと、内心で密《ひそ》かに決意した。

できるだけそうした思いは表に出さないよう努力をしたつもりだが、片桐は敏感に千秋の警戒心を悟ったらしく、その後の会話はとたんにぎこちなくなった。参ったなと千秋は頭を抱えたくなったが、さりとて規定の時間に達する前に席を立つわけにはいかない。仕方ないので、先ほどまでの親密な雰囲気がぶちこわしになるのを承知の上で、インストラクターの口調に戻ってあれこれとアドバイスを与えた。片桐はのろのろとナイフとフォークを動かしながら、千秋の言葉にいちいち頷《うなず》いていた。

やがてコース料理のすべてが終わり、食後のコーヒーが出てきた。これで最後だというつもりで「何か訊《き》きたいことはありませんか」と千秋が尋ねると、片桐は顔を上げて正面から視線を向けてきた。

「はい、なんでしょう」

千秋は自然な作り笑いを浮かべて応じたが、片桐の表情は硬かった。取り立てて突出したところのない、一度会っただけではすぐに忘れてしまいそうな平凡な容貌《ようぼう》が、今や悲壮な覚悟を秘めたように強張《こわば》っている。これはまずいな、と千秋はたじろぎを覚えたが、片桐の思い詰めた視線を逸《そ》らすすべは見つからなかった。

「今日のインストラクターが松山さんだと聞いて、慌てて買ってきたんです」

片桐は言うと、傍らのポーチから長細い紙包みを取り出した。それを、まるで切腹する武士のような真剣な表情でテーブルに置き、千秋の方に滑らせてくる。包みの形状からして、それはネックレスの類《たぐい》の装飾品のようだった。

「なんです、片桐さん。これは」

千秋は冷静を装って、包みと片桐の顔の両方に視線を向けた。

「受け取ってください」

片桐は肩を怒らせ、顔を真っ赤にしてそれだけを辛うじて吐き出した。一世一代の決心の上の行為なのかもしれなかった。

しかし千秋としては、こんな物を受け取る謂《い》われはなかった。個人的なプレゼントを受け取ることは会社が禁止しているし、禁止されていなくても片桐から何かを受け取る気などなかった。千秋は努めて事務的に、拒絶の意を示した。

「受け取れません。そういうことはいけないと、入会の際の契約書に書いてあったのをお忘れですか」

「忘れてませんが、でも私と松山さんが黙っていればわからないことです。会社には言いませんから受け取ってください」

「そういう問題じゃないんですよ。私は片桐さんからこのような物を受け取る理由がないんですから」

「私の気持ちです。女性にプレゼントをするなんて初めてです。受け取ってください」

「駄目です」

にべもなく応えて、千秋は包みを押し返した。そのきっぱりとした動きで、ようやく片桐は頭に上った血が冷めてきたようだった。しばし呆然《ぼうぜん》と千秋の顔を見つめてから、ふたたび顔を赤らめて俯《うつむ》いた。

かわいそうな人だな——千秋は思わないでもなかったが、ここで同情を見せては片桐のためにならない。心を鬼にして自分への思いを断ち切らせないことには、片桐がこのセミナーに通い始めた意味がなくなってしまうのだ。千秋は身を乗り出して、こういう物はこれから知り合う女性にプレゼントするものだと、口調を和らげて懇々と言い聞かせた。片桐はうなだれたまま、学校の先生にお説教を受ける生徒のように何度も頷いていた。

「片桐さんの気持ちは嬉しいですが、でもそれはいっときの錯覚ですよ。たまたま今は、片桐さんの近くにいる女性は私だけかもしれませんが、世の中には他にたくさん女性がいるんですから。もっと広く周りに目を向けてください。私たちも、片桐さんの新しい出会いを応援していますよ」

片桐は声も発さず、消沈したまま顔を上げなかった。焦《じ》れた千秋が「ねっ」と確認を求めると、ようやく「わかりました」と応じて包みを下げた。千秋はやれやれと天を仰ぎたくなる気持ちを抑えて、優しく微笑みかけた。

3

その片桐の一件を、帰りの電車に一緒に乗った同僚の上田《うえだ》牧恵《まきえ》に話したところ、牧恵は思いっきり顰《しか》め面をして吐き捨てた。

「いるんだよね、そういう人。うちのセミナーに来るような男ってさ、あんまり女に優しくされたことがないじゃない。だからこっちが仕事でお愛想を言ってるのに、なんだかいい気分になって錯覚しちゃうんだよね」

やだやだ、と牧恵は臭い匂いでも嗅《か》いだように鼻に皺《しわ》を寄せて首を振った。

「まあ、困っちゃったことには違いないんだけどね。そこまで辛辣《しんらつ》に言っちゃ、かわいそうじゃない」

千秋が吊革《つりかわ》に摑《つか》まったままやんわりと窘《たしな》めると、牧恵は冗談じゃないとばかりに顔を向けてきた。

「千秋がそういう態度だから、相手が錯覚しちゃうんだよ。優しくするのもいいけどさ、惚《ほ》れさせておいて後で振る方が、かえって残酷ってもんよ」

「別に気を惹《ひ》くような態度はとってないよ」

「でもなんとなく気配でわかるのよ。ああ、この人は仕事で自分と接してるんだな、ってことが漠然と伝わってれば、模擬デートの相手に惚れちゃったりすることもないんだから」

「牧恵はこういうことは一度もない？」

「ないわよ。そのとき限りの模擬デートが終われば、はいさよなら」

「すごいわね。牧恵みたいな性格の方が、この仕事は向いてるのかしら」

「まあ、千秋が向いてないとは言わないけどさ。もう少し距離をおいて会員と接した方がいいんじゃない」

「うん、気をつけるよ」

千秋が頷くと、しばし会話は途切れた。千秋は電車に揺られながら、毅然《きぜん》とした態度の友人をしばし羨《うらや》ましく思った。

千秋を今の仕事に引きずり込んだ友人というのが、この牧恵である。大学時代の友人だった牧恵は、千秋が二年間勤めた会社を退社したときに声をかけてきて、自分と同じ仕事を紹介した。今では住んでいる家も近くなので、帰宅の際もたいていいつも一緒に電車に乗る。千秋にとっては一番親しい友人だった。

だが万事に押しが弱い千秋とは対照的に、牧恵の考え方は至極単純明快だった。すべてに割り切った考えを示し、迷いというものを知らない。優柔不断な千秋には、そんな牧恵の振る舞いは羨ましい限りだった。

つい先日、二年間付き合った男と別れて、そのショックから未《いま》だに立ち直れないでいる千秋に比べ、牧恵の男性観は堂々たるものだった。同じ年にもかかわらず、すでに離婚を経験している牧恵は、二歳の娘の母でもある。そうした経験の差がものを言うのか、牧恵は聞いていてびっくりするほど男性に対して辛辣だった。一度結婚をしてみて、もう男はこりごりだと思ったそうだ。そうした人生観を持ち合わせているからこそ、模擬デートをしても相手から心を寄せられるような隙を見せないのだろう。そんな牧恵から、千秋の態度が悪いのだと言われれば、なるほどそういうものかと反省したくなってくる。片桐にも悪いことをしたと、いまさらながらに申し訳ない気持ちが湧き起こってきた。せめてもう二度と顔を合わせないよう、こちらで努力をしてあげた方が片桐のためというものだった。

「ああ、そうだ。大変なことを忘れてたよ」

しばし窓の外を流れる景色に目を転じていた牧恵が、唐突に口を開いた。

「何？」

千秋が尋ねると、牧恵は大袈裟《おおげさ》に肩を竦《すく》めて口許《くちもと》を歪《ゆが》めた。

「あのさぁ、最近うちの近所で痴漢が出るって話じゃない」

「ああ、聞いた。やぁね」

「それがね、昨日の帰り道に、襲われちゃったのよ」

「えーっ、牧恵が？」

思わず大きな声を出してしまい、とたんに周囲の視線が集中した。牧恵が恥ずかしげに「しーっ」と声を低め、慌てて千秋も身を竦めた。牧恵に顔を寄せて、「大丈夫だったの？」と尋ねた。

「うん、襲われたって言っても、後ろから抱きつかれただけだけどね。でっかい声で悲鳴を上げて、思いっきりもがいたらどっかに行っちゃった」

「怖いじゃない。警察に届けた？」

「一応ね。相手の顔ははっきり見えなかったから、いろいろ訊《き》かれてもちゃんと答えられなかったんだけどさ。でも泣き寝入りするのも悔しいじゃない」

「あっ、そう。でも何もなくてよかったわね」

「まったくよ。冗談じゃないわ。ああいう痴漢って、絶対女にもてないタイプよね。きっとうちの会員みたいな男が痴漢をやるんだわ」

「また、そういうことを言う」

千秋は困ったように眉根《まゆね》を寄せて、軽く牧恵を睨《にら》んだ。だが牧恵は、そんな千秋の困惑などまるで意に介さなかった。

「絶対そうだよ。だから千秋も気をつけなよ。千秋って、電車の中で触られても、声を上げずにじっと我慢しちゃうタイプだからね」

「襲われたら、いくらなんでも騒ぐわよ。でもホント、気をつけないと」

「そうそう、その片桐って人も、思い余って襲いかかってくるかもしれないし」

「やめてよ、もう。冗談でもきついよ」

「ごめん、ごめん」

ハハハ、と牧恵は男のような笑い声を上げて、千秋に拝んでみせる振りをした。千秋もそんな牧恵の態度に、本気で腹を立てることもできずにただ苦笑を浮かべた。

4

牧恵とそうした会話を交わした二日後のことである。その日は日曜日だったので、託児所に子供を預けられない牧恵は出勤しておらず、千秋はひとりで帰宅の途に就いていた。

駅を下りて、自宅までの道を歩く。この辺りは都内にもかかわらず、未だ畑が残るような地域で、夜ともなれば人通りも少なくて寂しくなる。痴漢が出没するには絶好の状況なので、千秋はひとりで帰宅する際はなるべく明るい道を選んで通るようにしていた。

駅前の商店街を抜け、民家が建ち並ぶ区域に差しかかったときだった。突然背後から声をかけられ、千秋は飛び上がらんばかりに驚いた。すぐには後ろを振り返ることもできず、心臓がとたんに高鳴りだしたのを感じながらゆっくりと首《こうべ》を巡らせた。

「松山さん」

声の主は再度、千秋の名を呼んだ。街灯の光の中にその男はゆっくりと進み出てくる。

相手の顔を見て、千秋は驚きのあまり目を丸くした。

「片桐さん……。どうしてこんなところに？」

呆然《ぼうぜん》と呟《つぶや》く千秋の前に片桐は進み出ると、一メートルほど距離をおいて立ち止まった。

そして何を思ったか、直立不動の姿勢で深々と頭を下げる。堅苦しい、片桐らしい緊張過多の所作だった。

「すみません。会社から後を追ってきました。どうしてもあなたと話がしたかったので」

「跡を尾《つ》けてきたって言うんですか」

片桐の言葉に、千秋はいささか気味悪さを覚えた。話がしたいのなら、会社を出たところでも、電車の中でも、いくらでも声をかけられたはずではないか。にもかかわらずこんなところまでついてきて、夜道で声をかけるとはあまりに非常識すぎる。いったい片桐は何を考えているのか。

「す、すみません」

片桐は三十六歳という年齢にはあまりにも不釣り合いなほど、おどおどとした口調で詫《わ》びた。自分の行動をひと回り近くも年下の千秋に咎《とが》められ、たちまち後込《しりご》みしてしまったのだろう。会社ではそれなりの地位に就いて仕事をこなしているのだろうに、千秋の前ではまるで世慣れない少年のようだった。

「困りますよ、片桐さん。こんなところにまでついてこられては、本当に困ります」

「すみません。非常識は承知の上でした。でもどうしても、あなたにこれを受け取ってもらいたくて」

言いながら片桐が差し出したのは、先日押し返した装飾品らしき紙包みだった。千秋が受け取らなかったのを、よほどショックに感じていたのだろうか。たった一度会っただけでくれようとするプレゼントなのだから、そんなに真剣に受け止める必要もないだろうと考えていたが、どうやら片桐の思い込みはかなり強いようだった。これは困ったことになったと、いまさらながら牧恵の忠告を思い出しつつ、千秋は胸の中で呟いた。

「駄目ですと先日も申し上げたでしょう。そういう物はいただくわけにはいきません。もう少し冷静に考えてみてください。私はあなたにとって、単なるインストラクターに過ぎないんですよ。決してそれ以上のものではないんです」

「でも、これもひとつの出会いの形じゃないですか。私があなたにプレゼントをするのが、そんなにいけないことですか」

「あのですね――」

千秋は言いかけ、そして続けても無駄ではないかと考え直して口を噤《つぐ》んだ。別に片桐が誰に恋愛感情を覚えても、千秋がとやかく言うことではない。大きく譲って、その対象が千秋であったとしてもよしとしよう。しかしいきなり装飾品をプレゼントするなどというのは勘弁してもらいたい。まずデートに誘って、ある程度親密になってから、誕生日なりクリスマスなり、何かプレゼントを渡す口実があるときにそういうものは用意して欲しいものだ。そうした不器用さを直すために、片桐はセミナーに通っているのではないか。いったい講座のどこを聞いているのか。

「ともかく片桐さん。あなたはご自分が何をしてらっしゃるか、あまりおわかりでないようですね。若い女性の跡を尾けて、夜道で後ろから声をかけるなんて、絶対にしてはいけないことですよ。これはセミナーのインストラクターとして言うのではなく、ひとりの女性として言います。こういう行動は、変質者すれすれのことですよ」

先日の牧恵の言葉が記憶に残っていたので、つい強い言い方になってしまった。だがこれくらい言わなければ、片桐は引き下がりそうになかった。なまじ純情でもの慣れていないだけに、思い詰めると何をするかわからない気配が感じられるのだ。きっぱりと拒絶しておかないと、いつまでも尾を引くことになるのではないかという不安があった。

「いいですね、片桐さん。私は怒ってるんですよ。二度とこういうことはしないでください。今すぐ駅に引き返して、もう私の跡を尾けたりしないでくださいね。さもないと、こちらも考えがありますから」

寂しい夜道で、こちらに多大な興味を持っている男とふたりきりで立っていることに恐怖を覚え始めていたので、それを糊塗《こと》するようにことさら語気を強めた。そしてそのままくるりと踵《きびす》を返し、付け入る隙を与えずにその場を立ち去った。片桐が追ってくるのではと気が気でなかったが、背後から足音は聞こえなかった。千秋は一度も振り返ることなく、ほとんど駆け足になって家路を急いだ。

5

片桐が自宅そばまで追ってきたことを告げると、案の定牧恵は大変な剣幕で怒り出した。

「変態じゃないの！　その人、明らかにおかしいよ。女性との接し方を知らないとか、そういうレベルの話じゃないじゃない。会社に言った方がいいよ」

「でも、別に強引に言い寄られたとか、そういったわけでもないから、あんまり事を荒立てたくないんだけどな」

千秋はまるで自分が怒られているように小声で反対し、ランチメニューのスパゲティーをフォークでつついた。なんだか面倒なことになってしまい、食欲も失《う》せている。男性から思いを寄せられることは初めてではなかったが、こんなに気が重くなるのも珍しかった。

「そんで、その人納得したの？　ちゃんと納得させないと、後が怖いよ」

「やっぱりそうかな」

「そうよ。きちんと諦《あきら》めさせておかないと、また後を追いかけてくるかもしれないわよ」

「でも、かなりはっきりと拒絶したのよ。それでも諦めてくれてなかったら、どうしたらいいと思う？」

「やな奴に見込まれたもんね」

牧恵は嫌悪感を露《あらわ》にして、しばし口をへの字に曲げていた。牧恵の前に置かれているピラフも、あまり手をつけられずに冷え始めている。千秋の身を案じるあまり、牧恵も食事どころではなくなっているようだ。つまらないことで煩わせて申し訳ないなと思ったが、こんなことを相談できる相手は牧恵以外にいなかった。片桐の一件は、とてもひとりで背《せ》負《お》い込む気にならない厄介事だった。

「今度家のそばまで来たらさ、大声出して『痴漢！』て叫んじゃえば。そうすればさすがに逃げていくでしょうし、そこまで嫌われてるのかって身に沁《し》みるんじゃない」

「そうかな。でも、なんかかわいそうな気もする」

「また、そういうことを言う！　千秋がそんな態度だから、相手がつけあがって言い寄ってくるんだよ。女の口説き方も知らない野暮な男なんて、こっぴどくはねつけてやればいいんだよ」

「そう……かしらね」

千秋が曖昧《あいまい》に応じると、牧恵は力強く「そうよ」と請け合った。牧恵に断言されると、なんとなくそのようにしなければならないような気になってくる。片桐の、あの気弱げだが思い詰めた表情を回想すると、確かにそこまでして拒絶しなければ収まらないかもしれないなとも思えた。

また後を追いかけてくるかもしれない、という牧恵の不吉な予告は、その三日後に的中した。その日は先日と同じように、千秋はひとりで帰宅していた。どうも片桐は、千秋がひとりのときを狙って声をかけてくるようだった。

「松山さん」

前回と同様、駅前商店街を抜けたところで声をかけられたとき、千秋は自分の耳を疑った。空耳であって欲しいと叶《かな》わぬ思いを抱きつつ振り返ると、そこにはもはや嫌悪感すら覚えさせる片桐の凡庸な顔が見えた。

「片桐さん、もうこういうことはやめてくださいって言ったじゃないですか。警察を呼びますよ」

「そんなにぼくが嫌いなんですか。ぼくと話をしてて楽しいと言ってくれたじゃないですか」

片桐は恨みがましい口調で言う。千秋は息を吸い込んで、吐き捨てるように言った。

「あの頃は嫌いじゃなかったですけど、こういうことをする片桐さんは嫌いです。帰ってください」

「じゃあ、日を改めて私と会ってくれますか」

「お断りします」

牧恵ほど果断な性格でなくとも、きっぱり断るのにさほどの勇気はいらなかった。千秋は心の底からの拒絶を、ただ口に上《のぼ》せただけであった。

厳しい語調で拒絶すればそのまま引き下がるかと思ったが、今日の片桐はなにやら悲壮な面もちだった。顔を苦しげに歪《ゆが》めたまま、力ない足取りで千秋に近づいてくる。思わず千秋は、身の危険を感じて数歩後ずさった。

「私は男性として、そんなに魅力がないですか。自分を変えようとセミナーで一所懸命勉強しましたけど、それでもまだ駄目ですか」

片桐は焦点が結ばれていないような虚《うつ》ろな目をして、千秋に答えを求めてきた。千秋はじりじりと後ずさりながら、小刻みに幾度も首を振った。

「いやです。それ以上近づかないで」

「あなたまでぼくを拒絶するんですね。あなただけは違うと思ったのに、他の女と同じようにぼくを嫌うんですね」

もともと陽気なたちではなかった片桐だが、今やその声は陰々と暗い響きを持ち、千秋に怖気《おぞけ》を震わせた。宙を見つめているような虚ろな目が、千秋の顔にひたと据えられた。真っ向から視線が絡み合った瞬間、千秋は純粋な恐怖に駆られてその場を逃げ出した。

「待て」

踵を返して駆け出した千秋を、片桐の暗い声が追ってきた。全力でこの場を逃走しようと走り出したが、ヒールの高い靴のためなかなかスピードが出ない。あっという間に片桐は追いついて、背後から千秋に手を伸ばしてきた。

「待ってくれ」

左肘《ひじ》を摑《つか》まれ、強引に引き止められた。その勢いで体が半回転し、片桐と正面から向き合う格好になった。その瞬間、千秋は我を忘れて悲鳴を上げていた。

「イヤー！　誰か来て！　痴漢！」

先日の牧恵の言葉を思い出したわけではない。身の危険を間近に感じたがために口を突いて出た、計算も何もない絶叫だった。

「痴漢よ！　誰か、助けて！」

「何を言うんだ、やめろ」

千秋の声は閑静な住宅街に響き渡り、とたんに周りの民家が騒がしくなった。それに慌てたのか片桐は、手で千秋の口を塞《ふさ》ごうとした。そのことがより千秋の恐怖心を煽《あお》り、外聞もかなぐり捨てて助けを求め続けた。

「なんだなんだ。どうしたんだ」

近くの家から野太い声の男が出てきたのを皮切りに、付近の民家のほとんどすべてから人が顔を覗《のぞ》かせた。片桐は千秋の口を押さえようとしたまま、「なんでもないんです、すみません」と取り繕おうとしたが、誰が見ても痴漢行為としか受け取れない状況だった。

「おい、やめろよ」

最初に出てきた、恰幅《かっぷく》のよい中年の男が近づいてきて、片桐の肩に手をかけた。片桐はそれを手で振り払おうとしたが、その動きが周囲の注目に火を点《つ》けた。「やめろって言ってるだろ！」と中年男が怒声を上げると、それを機に近所の男たちがぞろぞろと片桐を囲んだ。

「警察を呼べ！　警察を」

誰かがそう叫ぶ声が聞こえたが、千秋の頭は興奮に包まれていて、状況を冷静に把握できる状態にはなかった。周りを囲んだ男たちが、強引に片桐を引き離してくれた後も、ただがたがたと震え続けるだけだった。

やがて押っ取り刀で警官が現れ、千秋と片桐はそのまま交番まで連れていかれた。

6

いったんは近くの交番に連行されたのだが、すぐにそこからパトカーで警察署に移動した。興奮が去って頭が冷えてくると、大騒ぎしたことが恥ずかしくなってくる。せいぜい片桐がお小言を食らって放免になる程度のことと軽く考えていたが、なにやら物々しげにパトカーで護送されると、どうやらそう簡単には済みそうもない雲行きだということが察せられてきた。

千秋を乗せたパトカーが警察署の玄関に到着したとき、片桐を乗せたもう一台のパトカーはすでに先に着いていた。制服警官に促され車を降り、警察署の玄関をくぐる。少しそこで待っていてくれ、と傍らのベンチを示されて取り残されると、たちまち不安が胸の中で膨れ上がった。

ロビーを見渡すと、たばこの自動販売機とともに公衆電話が目に入った。千秋は心細さのあまり、それに取り縋《すが》って牧恵に連絡をとった。このような際に頼れる相手は、牧恵以外には思いつかなかった。

しどろもどろに現在の状況を説明すると、牧恵はすぐこちらに来ると言ってくれた。子供は同居している母親に預けられるので、十分ほどで到着するという。千秋は百万の味方を得た思いで、ホッと安堵《あんど》の吐息を漏らしてベンチに戻った。

牧恵がロビーに飛び込んできたのと、刑事らしき背広の男が千秋を呼びに来たのがほぼ同時だった。牧恵は千秋を見つけると駆け寄ってきて、千秋の手をしっかりと握った。

「大丈夫だった？　何も変なことされなかった？」

「大丈夫。何もされてないわ。ただちょっと怖かっただけ」

「まったく、冗談じゃないぞ、あの男」

牧恵はまるで自分が痴漢に襲われたように憤っていた。小鼻が膨らみ、そこから荒い息を吐き出さんばかりの剣幕だった。そんな牧恵を見ていると、千秋は心細さがとたんに霧散していくように感じた。

傍らで千秋たちのやり取りを見守っていた刑事が、頃やよしと見て割って入ってきた。牧恵はその場に残り、千秋は応接室らしき部屋に連れていかれた。ドラマで見るような取調室に入れられるのかと覚悟していたが、そうではなかったことが千秋を安堵させた。

千秋はそこで、ふたりの刑事を相手に事情を説明した。刑事はときどき合いの手を入れるだけであまり口を挟まず、千秋はしどろもどろながらも片桐との関わりをすべて語った。自分の話の内容がどのように受け止められているのか、刑事たちの反応からは窺《うかが》い知れなかった。

十五分ほどですべて話し終わり、引き取ってかまわないと告げられた。千秋は先に連行されたはずの片桐がどうなったか心配になり、それを尋ねてみた。

「あいつはもう少し油を絞る必要がありますね。すぐには帰しませんよ」

刑事はこちらを安堵させるつもりか、にやりと笑みを浮かべながらそう答えたが、千秋はちっとも安心などできなかった。いまさらながらに、片桐がかわいそうだという気持ちが湧いてきた。

応接室を出てロビーに戻ると、待っているはずの牧恵の姿が見えなかった。トイレにでも行っているのかとベンチに腰を下ろしていると、ほどなく牧恵は刑事に伴われて廊下の奥から出てきた。牧恵の態度は、してやったりと言わんばかりに得意げだった。いったい廊下の奥で何をしていたのかと、千秋は少し訝《いぶか》しく思った。

「いやぁ、重要な証言、ありがとうございます。奴が白状したら、あなたにもご連絡差し上げますよ」人のよさそうな初老の刑事は、牧恵に向かって朗らかにそう言った。「実は最近レイプされかかった人もいましてね。我々も絶対にとっ捕まえてやろうと手ぐすね引いていたところなんです。いや、ご協力ありがとうございました」

刑事は一方的に言うと、「では、まだ仕事がありますので」と頭を下げて去っていった。千秋は事情がわからず、きょとんとして牧恵の顔を見つめた。

「さあ、帰ろうよ」

千秋の疑問はわかっているはずなのに、牧恵は素知らぬ顔でそう言った。千秋としても警察署などに長居したくはなかったので、促されるままに玄関をくぐって外に出た。

牧恵は自転車で駆けつけてくれたのだという。それを引き取りに駐輪場に寄り、自転車を手で押しながら歩く牧恵とともに警察署を後にした。

「ねえ、さっきのあれ、どういう意味？」

歩き始めてすぐに、千秋はたまらず先ほどの刑事の言葉の意味を尋ねた。協力云々《うんぬん》と言っていたが、牧恵が何かを証言したのだろうか。

「へへへっ」

牧恵は照れ臭そうに笑ったが、反面何やら満足そうでもあった。牧恵は笑い顔を千秋に向けたまま、唐突に言った。

「この前あたしが痴漢に襲われた話をしたでしょ」

「うん、聞いたけど」

「あたし、あいつをその痴漢じゃないかなって言ってやったのよ」

「えっ、片桐さんを？」

「うん、そう。面通しって言うの？　マジックミラー越しにあいつの顔を見せられたんだけど、間違いなくあいつがあたしを襲った奴だって証言してやったわ」

「本当にそうだったの？」

「違うわよ。痴漢の顔なんて憶《おぼ》えてないわ。でもあたし、千秋に怖い思いをさせたあいつが許せなかったから、少し警察でお灸《きゅう》を据えてもらおうと思ったのよ。ただの痴話喧嘩《ちわげんか》だなんてことで終わっちゃったら、あいつ、また千秋の周りをうろうろするかもしれないでしょ」

「じゃあ、濡《ぬ》れ衣《ぎぬ》を着せたってわけ？」

「まあ、そういうことになるかな。でも警察の方でも、あたしが言い出す前から疑ってたみたいよ。だから派出所で調べを済まさないで、わざわざ警察署まで連行したみたい。それで向こうも、あたしの証言を真に受けたのよね」

「そんな。じゃあ片桐さんは、無実の罪で取り調べられているの？」

「無実じゃないかもしれないじゃない。痴漢は本当にあいつだったのかもしれないよ」

「そんな、強引な」

「いいのよ。少しくらい痛い目に遭わないと、ああいう奴は懲りないよ。千秋だって、今後もつきまとわれたら困るでしょ。いいのよ、これで」

牧恵はにべもなく、切り捨てるようにそう言った。千秋は反駁《はんばく》しようとしたが、牧恵の言うこともっともだった。単に説諭くらいで放免となったら、片桐はなおもしつこく出没するかもしれない。片桐が痴漢でないことは、警察が本気で調べればすぐにわかることだし、しばらくは怖い思いをさせた方が今後のためにもなるだろうと思えた。

「まあ、いずれは釈放されて出てくるだろうけど、その頃には千秋に言い寄る気力もなくなってることでしょう。千秋もいやな思いをしたかもしれないけど、結果的にはよかったじゃない」

牧恵はさばさばした調子で、一件落着したとばかりに締め括《くく》った。千秋も釈然としないながらも、「まあね」と同意の言葉を返した。

7

結局片桐は、痴漢の容疑を認めず、証拠不充分で帰宅を許されたらしい。だが牧恵の証言を重要視した警察は、今後も彼へのマークを怠らず続けるという。千秋はそうした顚末《てんまつ》を、警察署で応対してくれた刑事から電話で知らされたが、もはやあまり興味もなかった。

数日後に会社の事務局で確認をとってみると、片桐はセミナーを中途脱会したそうだった。当然といえば当然のことだが、千秋はそれを知って心からの安堵を覚えた。これで片桐との接点もなくなったかと思うと、とたんにのびのびと呼吸ができる心地になった。今後は二度とこういうことが起きないよう、せいぜい牧恵を見習って男性会員とはビジネスライクに接しようと決意を固めた。

事件以来、片桐は二度と接触をとってこようとしなかった。住所や電話番号は知られていないのだから、向こうがセミナーを辞めてしまえば顔を合わせる機会もなくなる。しばらくの間は帰宅の途中が怖かったが、あれきり背後から声をかけられるようなこともなかった。

それでも帰路は、牧恵と必ず一緒に帰ることにした。片桐が身辺に現れることはもう二度とないだろうとは思うものの、一度味わわされた恐怖感はそう簡単に癒《い》えなかった。もともとあまり気の強い方ではなかったが、事件を機により依存心が強くなったような気がする。牧恵がそばにいてくれなければ、とてもひとりで夜道を歩くことなどできそうになかった。

だからしばらくの間は、会社に事情を話してシフトを変更してもらい、出勤日が牧恵と重なるようにしてもらっていた。だがいつまでもまったく同じシフトにしてもらうわけにもいかず、あるとき上司からやんわりと窘《たしな》められてしまった。次の日曜日は人手が足りず、どうしても千秋に出勤してもらいたいと言うのだ。千秋は軽い不安を覚えたものの、事件から一ヵ月が経ち警戒心も薄れ始めていた。いつまでも学生みたいに牧恵と行動をともにしているわけにもいかないなと考え直し、上司の頼みを受け入れることにした。

そしてその日曜日のことである。いつものように模擬デートを終えてセンターに戻ると、同僚たちが仕事帰りに一杯飲みに行こうと相談していた。千秋の会社は比較的社員同士の仲が良く、たまにこのような企画が持ち上がることがある。千秋もそうした集いが決して嫌いではなかったので、誘われるとふたつ返事で同意した。しばらくそうした遊びからは遠ざかっていたので、たまには羽目を外したいとも思った。

皆で新宿に繰り出し、居酒屋からカラオケボックスへと梯子《はしご》をした。解散になったのは十一時過ぎで、千秋はほろ酔い加減のまま電車に乗った。自宅の最寄り駅に降り立ったときには、早くも深夜零時になろうという時刻だった。

遅くなったなとは思ったものの、久しぶりにはしゃいだ解放感が千秋の気を大きくしていた。すでに店がシャッターを下ろした商店街を突っ切り、意気揚々と自宅への道をひとり歩いた。

片桐に声をかけられた住宅街を行き過ぎたときも、さしたる感慨はなかった。また片桐が後ろからついてくるのではないかなどといった妄想は湧いてこず、実際誰も千秋に近づいてこなかった。千秋は平然と住宅街を行き過ぎた。

住宅街を抜けると、道の両側は畑になった。民家は疎《まば》らで、ぽつりぽつりとアパートが建っているだけである。街灯こそ等間隔に立っているものの、人通りは少なく至って寂しい道だった。

そこまで歩いてきて、酒に酔った千秋の頭にもようやく警戒心が湧いてきた。そういえば痴漢が出没するのもこの辺りのはずだった。片桐が警察に連れていかれて以来、不思議と痴漢の噂も絶えていたが、本物の痴漢が逮捕されたわけではないのだ。こうした寂しい夜道は早く行き過ぎてしまうに限ると、千秋はようやく歩みを早めた。

気づいてみれば、道の前後には見事に人の気配がなかった。こんな時間にこの道を通るような酔狂な人間はいないのだ。おそらく大の男でさえ、夜中にここを通るのは避けたくなるだろう。まして千秋のような若い女性がひとりで歩くのは、無警戒にもほどがあるというものだった。

どうしてタクシーを拾わなかったんだろうと、いまさらながらに自分の軽率さが悔やまれた。帰宅が遅くなった場合は、たいていタクシーを拾って遠回りして帰るのだ。今日に限って歩いて帰ろうとしたのは、片桐の事件から一ヵ月経って、気持ちが緩《ゆる》んでいたとしか思えなかった。

あれこれと考えながら歩いていると、いつの間にか酔いがすっかり醒《さ》めてしまっていた。代わって心に忍び込んできたのは、形も定かでない恐怖心だった。もともとが臆病《おくびょう》な千秋は、一度周囲が気になりだすと、何やら誰かが自分を追ってきているような錯覚すら覚え始めた。自分がたてる足音の他にも、他人の歩を運ぶ音が聞こえるようだった。

錯覚？　ふと我に返り耳を澄ましてみると、本当に自分以外の人間の足音が聞こえたようだった。とっさに振り向いて道の後方に目を転じたが、誰もついてきている様子はない。臆病になりすぎたのか。

ふたたび気を取り直して足を動かし始めると、やはり自分以外の足音が聞こえるような気がした。それと同時に、先ほど考えたことがもう一度脳裏に甦《よみがえ》った。本物の痴漢はまだ捕まっていないのだ……。

たまらずに立ち止まって、今度は恐る恐る背後を振り返った。すると道の遥《はる》か後方に、なにやら黒っぽい男の影が見えた。男は毅然《きぜん》とした足取りで、こちらに真っ直ぐに近づいていた。千秋はぴくんと肩を震わせ、踵《きびす》を返して早足に先を急いだ。

すると背後の足音も、それに合わせてスピードを上げたようだった。気のせいだろうと思いつつなおも足を速めると、足音の間隔も速くなる。男は千秋を追っているのだった。

千秋は我を忘れて駆け出した。今度こそ片桐ではなく本物の痴漢だと思った。警察の集中警戒は、片桐の一件以来解除されているという。警察は牧恵の証言を鵜呑《うの》みにして、連続痴漢魔は片桐だと思い込んでいるのだ。本物の痴漢が、今この場にいて自分を追ってきているというのに……。

千秋が走り出すと、背後の男も駆け出したようだった。全力で走っても距離は開かず、むしろどんどん両者の間隔は狭まっていた。千秋の肺は急激に躍りだし、脳裏は真っ赤な血の色で埋め尽くされた。恐怖で塗り潰《つぶ》された頭の中で、片桐に濡《ぬ》れ衣《ぎぬ》を着せたことを後悔しても、もはやどうにもならなかった。

背後の足音は、千秋のすぐ後ろまで迫っていた。

壊れる

kowareru

1

「ねえ、一緒に買い物に行かない?」

妻の珠恵《たまえ》にそう言われたとき、安永道春《やすながみちはる》は内心で「しめた」と思った。

「買い物? 面倒臭いな」だが安永はそんな思いはおくびにも出さず、なるべく気怠《けだる》げに聞こえるような声を出して答えた。「運転をおれにさせる気だろ。疲れてるんだよな」

「運転くらい、あたしがするわよ」

珠恵は少し口を尖《とが》らせて言い返した。最近は珠恵もようやく車の運転に慣れてきて、自分のテクニックに自信が出てきたようである。安永がそれを信用せずに、決して助手席に乗ろうとしないのが不満なのだろう。事あるごとに一緒に出かけようと誘うのは、自分のハンドル捌《さば》きを安永に見せつけたいからに違いなかった。

「じゃあ、荷物持ちか。いずれにしても、あまり付き合いたくないな」

「そんなこと言うなら、もういいわよ。秀輔《しゅうすけ》とふたりで行ってくるからいいわ」

「気をつけろよ」

安永は畳に横になったまま、テレビを見ながらおざなりに言った。珠恵は腹立たしげにうろうろと室内を動き回っていたが、やがて身支度を終えると、息子の秀輔の手を引いて出ていった。

玄関のドアが閉まる音が聞こえると、安永は大袈裟《おおげさ》に吐息をついて、身を起こした。両手を頭の上に突き上げ、目を瞑《つぶ》って背筋を伸ばす。ようやく妻の無言の監視から逃れた気分だった。

珠恵との結婚生活も、もうかれこれ丸八年になろうとしている。結婚三年目に息子が生まれ、六年目には現在の公団住宅を購入した。傍目《はため》には波風ひとつ立たない円満な一家と映るだろう、絵に描いたような平凡な家庭の一風景だった。

だが安永は、どうしたことか家を購入した頃から、なにやら息苦しいような圧迫感を覚えるようになっていた。向こう三十年に亘《わた》って払い続けなければならない住宅ローンに、目の前が真っ暗になったのだった。

そして、一度自分が歩んでいる道に疑問を持ってみると、結婚当初から漠然とした違和感を覚え続けてきたことにも気づいた。果たして自分の結婚は正解だったのか。もし違う女を伴侶《はんりょ》としていれば、もっと満足のいく人生が開けていたのではないか。そんな自問が、どこか頭の片隅で常に浮遊するようになった。

珠恵はあまり自己主張をしない、今どき珍しい男に尽くすタイプの女だった。何事につけ安永の意向を窺《うかが》い、自分を殺してこちらの意を酌もうとする。安永は珠恵のそうした従順なところが気に入り、妻として迎えたのだが、最近ではしばしばその性格が鼻につくようにもなっていた。

八年も一緒に暮らせば、互いに折り合いをつけて毎日の生活が円滑に行くよう取りはからうようになる。言いたいことを言い合い、相手の主張の認めるべきところは素直に認めるのが夫婦の正しい有りようのはずだった。ところが珠恵は、一方的に自分だけが譲ってしまい、こちらに何も求めてこようとはしなかった。安永は決して暴君として家庭に君臨しているわけではないのに、珠恵はどこか打ち解けない、よそよそしい部分をいつまでも持ち続けていた。それが安永には不満でならなかった。

しかもそれだけではなく、珠恵の引っ込み思案な性格は、最近陰湿な方面で発揮されるようになってきた。何か安永に対して不満を覚えると、それを口に出そうとはせずに、露骨にそれとわかる態度で示してくるのだ。

今日もその典型的なパターンだった。珠恵は安永が買い物に付き合わないと宣言すると、いやがらせのように部屋の中をばたばたと歩き回った。寝そべってテレビを見ている安永の態度を咎《とが》めるように、不必要に右から左へと絶えず移動し、安永の注意を惹こうとした。安永もそんな珠恵の意図がわかるだけに、むきになっていつまでも畳に横たわり続けた。

意地でも起き上がってやるものかと、頬杖《ほおづえ》をついたままつまらないテレビ番組を食い入るように見続けた。

夫婦の間は、なまじ正面切った喧嘩《けんか》など起きないだけに、根深いところで亀裂《きれつ》が生じているように感じられた。現に安永は、妻子が出ていってひとりになったときだけ、心からの解放感を味わえるようになっていた。世間体を考えれば離婚などは論外のことだったが、もはや安永にとって珠恵の存在は、いささか鬱陶《うっとう》しい同居人というレベルでしかなかった。結婚してしまったから仕方なく一緒にいるだけで、その生活はただ惰性で続いているに過ぎなかった。

安永は今度こそ本腰を入れて、気晴らしにしか役に立たない空疎なバラエティー番組に見入った。今日は一時に、横浜で田丸今日子《たまるきょうこ》と落ち合う約束がある。それまではいかにくだらなかろうが、テレビでも見て時間を潰さないことには他にすることもなかった。

珠恵が買い物に行ってから一時間経って、そろそろ出かける身支度をしようかと考え始めたときだった。電話機のベルが鳴り出し、安永の注意を引いた。珠恵だろうと予想しつつ通話スイッチを押すと、案に相違して声の主は妻ではなかった。

「よかった。あたし」

あたし、と馴《な》れ馴《な》れしく言ったのは、これから会う予定の田丸今日子だった。今日子から自宅に電話があるのなど初めてのことなので、安永は軽く動揺して応じた。

「どうしたんだよ。ここに電話なんかしてきちゃ駄目じゃないか」

「そんなことが堂々と言えるところを見ると、奥さんはそばにいないのね。ちょうどよかっったわ」

「たまたまおれが出たからよかったものの、もし女房が出てたらどうするつもりだったんだ」

「そのときは間違い電話の振りをして切るわよ。そんなに心配しないで」

安永の狼狽《ろうばい》ぶりがおかしかったのか、電話の向こうで今日子はくすくすと笑った。

「で、いったいなんの用なんだよ。今日、会うまで待てなかったのか」

「うん、それがね。ちょっと今日は具合が悪くなっちゃったのよ。無駄足踏ませちゃ申し訳ないと思って、それで危険を顧みず電話をしてみたってわけ。ちょっとどきどきしたわ」

「具合が悪くなった？」

「そうなの。叔父《おじ》がね。今朝方亡くなっちゃったのよ。前から危ないとは言われてたんだけどね。ついにって感じ」

「ああ、だから今から駆けつけなきゃいけないというわけか」

「そういうこと。だから今日の約束はなしにして。寂しいでしょうけど」

「ああ、寂しいよ。おれは今から何をして今日一日を過ごせばいいんだ」

「麻雀《マージャン》でもすれば？　どうせ出かける口実に麻雀を使うつもりだったんでしょ。本当に友達に声をかければいいじゃない」

「学生じゃないんだから、今からすぐやろうと言ったって面子《メンツ》なんて集まらないよ」

「じゃあ、せいぜい家族サービスでもすることね。奥さんが帰ってきたら、少しは優しくしてあげなさい」

「大きなお世話だ」

安永は苦笑して応じた。今日子はどういうつもりか、たまにそのようなことを言ってこちらをからかっているような節がある。妻子持ちの男と浮気を楽しんでいるような女は、皆このように開き直った部分を持っているのだろうか。安永は他の浮気体験者にも訊《き》いてみたい気分だった。

「じゃ、ね。残念だけど、また今度」

バイバイ、と軽く言い置いて、今日子は通話を切った。安永は電話の子機を投げ出し、ちぇっと舌打ちしてふたたび畳に寝そべった。今日子との約束がキャンセルになってしまえば、後は退屈なだけの空しい時間が残されているだけだ。こんなことなら珠恵と買い物にでも行った方がまだましだったと、天井を睨《にら》みながら心の内で愚痴をこぼした。

テレビを見たり雑誌をパラパラ捲《めく》ったりして無為の時間を過ごしているうちに、いつの間にか一時を回っていた。気づいてみれば腹が減っている。そろそろ珠恵が帰ってくる頃だろうと待ち受けたが、いつまで経っても妻は戻ってこなかった。三十分待ち続けて、空腹が耐えがたくなるのと比例するようにいらいらが高まってきた頃、もう一度電話機が鳴った。苛立《いらだ》ったまま出てみると、今度こそ相手は珠恵だった。

「どこに行ってるんだよ。こっちは腹減って死にそうだぞ」

怒気を込めて言ったが、珠恵はこちらの感情など気に留めている余裕がないようだった。なにやら上擦った声で意味のわからない言葉を吐き続けている。その口調でようやく、珠恵に何かが起きたことを悟った。

「どうしたんだ。何があったんだ」

改めて尋ねると、珠恵は唾《つば》を飲み込むように一拍おいてから、早口に言った。

「交通事故を起こしちゃったのよ。今、病院にいるの。早く来て！」

2

珠恵は買い物に行った大型スーパーのそばの、大学付属病院にいるという。目立った外傷があるわけではないが、軽いむち打ち状態になったため、念のために検査を受けることにしたのだそうだ。安永は取るものも取りあえず家を飛び出し、自転車で大学病院へと向かった。先ほどまでは珠恵に対する不満が胸の内で渦巻いていたが、事故と聞いては放っておけない。安永はひたすら自転車のペダルを漕《こ》ぎ、一刻も早く病院に着こうと先を急いだ。

十五分ほどで病院に辿《たど》り着き、受付に駆け寄ってしどろもどろに事情を話すと、機械的な口調で珠恵と秀輔がいる治療室を教えられた。そのぶっきらぼうな物言いに小腹を立てながら、廊下を足早に奥へと進んだ。

教えられた治療室に到着すると、珠恵たちはちょうど診察を終えて出てきたところだった。ふたりとも首に包帯のようなものを巻いている。ギプスをしていないところを見ると、むち打ちといってもそれほど重傷ではなかったようだ。

「だ、大丈夫だったか」

駆け寄って尋ねると、最前の電話のときとは打って変わって、珠恵はすでに落ち着きを取り戻していた。

「ごめんなさいね、取り乱しちゃって。交通事故なんて初めてだから、びっくりしちゃったのよ」

「いや、無事ならいいんだが、怪我はどうなんだ。大したことなかったのか」

「うん、別に心配いらないみたい。湿布で治る程度のようよ」

「それならよかった」

安永は安堵《あんど》の吐息をついて、傍らのベンチにへたりこむように腰を下ろした。必死になって駆けつけただけに、妻子の無事な様子を見て力が抜けてしまった。

改めて事情を尋ねてみると、どうやら事故といっても珠恵に落ち度はないようだった。車同士で正面からぶつかったのだが、その理由も相手が一方通行の道を逆進してきたためだという。今は相手の運転手が警察と一緒に現場検証をしていて、珠恵もこれからそこに行かなければならないそうだ。病院の入り口の辺りに警官が待っていなかったかと尋ねられたが、驚きで視野が狭まっていた安永はそんなことなど気づきもしなかった。

三人で入り口のロビーまで戻ると、珠恵の言うとおり制服警官が待ち受けていた。珠恵が診療代を払う間、警官は無言で立ち尽くし、じっとそれを見守り続けた。傍らで秀輔の手を握っていた安永は、何か礼のようなことを口にしなければならないかとあれこれ思案したが、気まずい雰囲気に負けて結局何も言えなかった。

精算が終わってから、病院の外に待機していたパトカーに乗り込み、事故現場へと向かった。秀輔は初めて乗るパトカーにはしゃいでいたが、安永はそれどころではなかった。妻子が無事だったことはよかったが、これから降りかかってくるであろう厄介な手続きや相手との交渉を思うと、気持ちがどんどん沈んでいった。

事故現場は、大型スーパーから安永の住む公団住宅へ帰る途中の道だった。珠恵の話によると、相手は四十年輩の女性で、あまりこの辺りの地理に詳しくなかったそうだ。相手ドライバーが女性と聞いて、安永は「ああ、なるほど」と得心がいった。一方通行を逆走するなど、いくら地理不案内でもめったにあることではない。そんな馬鹿げた事故も、相手が女性とあれば納得できることだった。

「相手の人は、怪我はなかったのか」

パトカーの中ということもあって、遠慮して小声で話し続けた。珠恵も同じように、声を潜めて答える。間に挟まれた秀輔だけが、両親のやり取りを面白そうに眺めていた。

「大丈夫だったみたい。それほどスピードを出していたわけじゃないから」

「なら、まだましだな。相手の方が怪我が大きければ、これからの話し合いが面倒になる」

「話し合いって？」

「治療費とか車の修理代のことだよ。お前に落ち度はないんだから、相手に全額出してもらわないとならないだろ」

「でも、そんなに話を大きくしない方が……」

「何言ってるんだ。向こうだって保険に入ってるんだろうから、金を払うったって別に自腹を切るわけじゃないんだ。こっちが及び腰になることはない」

「……そうね」

珠恵は気が重いのか、渋々といった感じで同意を示した。気が重いのはおれだって同じだと、安永は内心の苛立ちをこらえた。

現場に到着すると、事故を起こした二台の車はパトカーに挟まれるようにして路肩に停められていた。その通りから一方通行路へ左折する地点に、制服警官が何人か立っている。その中にふたりだけ一般人らしき人が見えたが、おそらくそれが事故の相手なのだろう。珠恵の説明によれば、車に乗っていたのは中年女性ひとりだけだとのことだから、その傍らに寄り添うように立っている男は、安永と同じように駆けつけてきた夫であろうと推察された。

パトカーが停まってから、珠恵を先頭に車を降りた。珠恵は早足で、事故の相手のところに向かう。安永は秀輔が降りるのを手伝ってから、そちらに足を向けようとして、その場に立ち竦《すく》んだ。

珠恵に頭を下げた相手夫婦は、顔を上げると安永にも視線を向けてきた。その瞬間、男の顔にも驚きの色が浮かんだ。安永は無意識に数歩進み出て、相手に呼びかけた。

「部長——」

3

当初は大したこともないと思われていた秀輔の負傷が、数日経ってみると思いがけず重傷だったことがわかってきた。事故直後こそ平気そうにしていたものの、次第に元気がなくなり、気持ち悪いと寝込んでしまうようになったのだ。大人の珠恵と違い、骨格がまだできあがっていないだけに衝突のショックも大きかったようだ。湿布程度で治るむち打ちではなく、しばらく通院しなければならない見通しとなった。

秀輔の症状に、安永は頭を抱えた。息子の身を案じてのことではない。事故相手との交渉が簡単には済みそうもないことを恐れたのだ。

事故の相手は若田富美子《わかたふみこ》という名の、最近車に乗り始めたばかりの若葉マークドライバーだった。そしてその夫は、偶然にも安永の直属の上司であった。

上司の若田が、最近安永の住む公団住宅のそばに越してきたことは知っていた。その引っ越しの際は、他ならぬ安永自身も手伝いに行ったからだ。だがそばとは言っても車を使わなければ行き来できない距離だったし、互いの最寄り駅も違う路線ということで、引っ越し以来会社の外で会ったことはなかった。義理で引っ越しは手伝ったものの、休日に出会うことなどほとんどなかろうと考えていた。

それが間の悪いことに、互いの妻同士が衝突事故を起こしてしまった。しかも状況的には、若田の妻の方が一方的に悪いのだ。現在課長補佐という中途半端なポジションにいる安永としては、考え得る限り最悪の状況と言えた。

安永は取り立てて部長である若田を好いてはいなかったが、さりとて表だって逆らうような度胸もなかった。適当に胡麻《ごま》を擂《す》って覚えをめでたくしておけば、いずれは自分を課長に引き上げてくれるだろうと考えていた。つまり安永にとっては若田という個人の人格などはどうでもよく、その地位のみが大事なのであった。

安永が気鬱《きうつ》になったのに対し、若田の方は露骨に安堵の色を示した。事故の相手が自分の部下となれば、事後交渉も簡単に済むと考えたのだろう。若田は安永の顔を見ると、最初こそ驚きを示したものの、次第に緊張が解けて相好を崩しかねないほど緩んだ顔つきになった。警察署での事情聴取の間も、一貫してリラックスした態度を保っていた。

安永も事故直後こそは、相手が知り合いであれば話も早いと考えていた。怪我も湿布程度の治療で済むことならば大した金はかからないし、車の修理代と合わせても、それほどの金額を部長が渋るわけもないと楽観していたからだ。ところが案に相違して、秀輔の通院は長引くこととなった。金銭的な交渉は治療がすべて終わってからということにしていたが、それが日一日と先送りされるにつれて、安永は次第に気分が重くなっていった。治療が長期間になればなるだけ、自分と若田との力関係がものを言うようになるはずだからだ。

だから、ある日会社で若田に「ちょっと」と声をかけられたとき、安永は『ついに来たか』と覚悟を固めた。長年若田の下で働いていて、こうした際に誠意を込めた対応をする人間ではないことを、安永は熟知していたのだ。

若田は一階のホールに安永を誘い、そこでおもむろに秀輔の具合を尋ねてきた。

「まだ通院しています」

安永が用心深く答えると、若田は大袈裟《おおげさ》に驚いた顔をして見せた。

「まだ治らないのかい。そりゃ大変だな。もう一ヵ月になるじゃないか」

言葉は同情的だが、暗に安永が偽りを言っているのではないかと咎《とが》めるようなニュアンスが混在していた。こちらがわざと治療を長引かせ、若田から金をふんだくろうと画策しているとでも言いたげだった。

「むち打ちはそう簡単には治らないそうです。特に子供ですし」

安永は若田の言葉の刺《とげ》などまるで感じていないように、ごく穏当な返事をした。秀輔が完治しないのは事実なのだから、それだけははっきり告げておかなければならないと考えた。

「じゃあ、けっこう通院費もかかってるだろう。私の方でいくらか負担しようじゃないか」

いくらか、という留保が気になったが、若田の方から金銭交渉を切り出してくれるのはありがたかった。正直言って、秀輔の通院費は家計を圧迫している。いずれは若田が支払ってくれるものとは思っても、立て替えるだけでもかなりの負担になりつつあったのだ。

いずれは全額を清算してくれるにしても、今の段階でこれまでかかった治療費を払ってもらえるなら、それは願ってもないことだった。

「それは助かります」

素直に本音を吐露すると、若田は親しみを示すように顔を寄せてきた。安永が嫌いな、どぎつい整髪料の匂いが鼻を突いた。

「十万くらいでいいかな」

「ええ、ありがとうございます」

「十万もあれば、今後の治療費にも充分充てられるだろう」

「そうですね。十万もあれば」

「じゃあ、そういうことで、互いに納得したと解釈してもいいかな」

「は？」

若田の言葉の意味がわからず、安永は口を開けて相手の顔を見返した。若田はにんまりと笑って頷《うなず》いた。

「お互い、あまり面倒なことになると疲れるじゃないか。幸い私たちは知り合いだったのだから、話をややこしくする必要もあるまい。これで事故の話はすべて済んだということでいいじゃないか」

「とおっしゃいますと、車の修理代や慰謝料も含めて十万ということですか」

あまりに虫のいい若田の言い種《ぐさ》に、安永は思わず言葉に憤慨の気持ちを込めた。相手が自分の出世を左右する存在であるという事実も、一瞬思考の中から消え失《う》せた。

「慰謝料だなんて、君。そんな無体なことは言わないでくれよ。それほど大事故じゃなかったんだから」

「それにしても十万とは、いささか……」

「じゃあ、十五万にしよう。それで納得してくれないか」若田は手を挙げて、安永の肩を馴《な》れ馴《な》れしく叩《たた》いた。「いや、実はな。うっかりしていたんだが、あの車は自賠責が切れていたんだ。警察でもそのことはかなり絞られた。だから自賠責から君たちへの補償金は出ないんだよ」

「任意保険も切れてらっしゃったんですか」

「任意は入ってるが、こんなことで使いたくはないじゃないか。せっかく無事故で今まで来て、掛け金も安くなってるんだ。これくらいの小さい事故では、普通は任意保険は使わないだろう」

「しかし、部長――」

「私は相手が君の奥さんでよかったと思ってるんだよ。むろん私も逃げるつもりはない。だからきちんと金を払おうと言ってるんだ。君も知らない仲でもないんだし、こちらの事情も考えてくれないか。自賠責さえ切れてなければ、私もこんなことを言いたくはなかったんだ」

押しの強い口調で言い募ると、若田は「なっ」と同意を求めるように安永の肩を揺すった。安永はそれに抗《あらが》うこともできず、「はあ」と曖昧《あいまい》な返事を漏らすだけだった。

4

「冗談じゃないよな」ベッドの上で安永は、傍らに横たわる田丸今日子にこぼした。「十五万だぜ、十五万。せこい野郎だとはわかってたけどよ、事故を起こして相手に怪我をさせといて、それを十五万で済ませようなんて、とんでもないせこさだぜ」

若田の言い種を思い出すだけで、腹の底から沸々と怒りが湧き起こってきた。いくら考えても若田の話は卑劣だった。相手が自分に逆らえない立場であることを承知の上で、事を簡単に済ませようというのだ。そして事実、安永は強く反論することもできず、若田の卑しい物言いに言いくるめられてしまった。自分の情けなさも腹立たしいが、それ以上に若田のにやけた顔に憎悪を覚えた。

「運が悪かったわねぇ。事故の相手が上司の奥さんなんて、ほとんど冗談みたいな運の悪さだわ」

「まったくだ」

今日子は半分面白がっているような口振りだったが、それはいつものことだった。今日子はいついかなるときも感情を波立たせることがなく、すべて冗談として受け流してしまう精神の強さを内包している。自宅で珠恵と一緒にいると、たとえ会話を交わさなくともなにやら神経が苛立《いらだ》ってくるのだが、それとは対照的に今日子が傍らにいると、不思議と気持ちが安らいでくる。物事にむきになって執着することが馬鹿馬鹿しくなってきてしまうのだ。そうしたある種飄々《ひょうひょう》としたところが気に入って、安永は今日子と不倫の逢瀬《おうせ》を重ねているのだった。

「まったく、ついてないにもほどがある。十五万なんて、車の修理代だけで消えちまうじゃないか」

しかし今日の安永の憤懣《ふんまん》は、今日子に愚痴をこぼしたくらいでは容易に晴れなかった。若田に対しての怒りを吐き出しているうちに、ニコチンへの渇望感が次第に高まり、安永は身を捻《ひね》ってベッドサイドからたばこを取り上げた。

「やだ。たばこ吸うなら向こう行ってよ」

今日子は露骨に顔を顰《しか》め、シーツを引き上げて自分の鼻を覆った。今日子は意外に几帳《きちょう》面《めん》な一面も持ち合わせており、喫煙に対しては潔癖な態度を示す。自分が吸わないだけではなく、近くにいる人が煙を吐き出すだけでもいやがるのだ。それがわかっているだけに、安永は極力今日子のそばではたばこを吸わないようにしていたのだが、今はつい苛立ちのあまり手が伸びてしまった。紫煙を肺に納めなければ、ささくれだった気持ちはどうにも直りそうになかった。

安永はベッドから下り、バスルームへと向かった。ドアの傍らの照明を点《つ》けると、天井のファンが回り出す。ちょうどその下に立ち、たばこに火を点けた。

肺いっぱいに吸い込んだ煙をファンに向けて吐き出してから、今日子に目を戻した。今日子はベッドに寝そべったまま、こちらに笑みを含んだ視線を向けていた。

「で、どうするのよ。部長に言われるままに引き下がるの」

「仕方ないじゃないか。逆らうわけにもいかない。あんな下衆《げす》野郎でも、上司には違いないんだ」

「奥さんはなんて言うかしらね」

「あいつは心配ないよ。おれが部長とそう決めたと言えば、はいそうですかと納得するだけさ」

「素直ないい奥さんじゃない」

「やめろよ」安永は洗面台に吸い殻を捨て、ふたたびベッドに戻った。「あいつの陰険さを知らないから、そんなことが言えるんだ。無言で抗議を受ける気分が、どんだけいやなものかわかるか」

「そんなこと言ったって、結局別れるつもりはないくせに」

今日子は恨みがましさを込めるでもなく、ただ楽しげにさらりと言ってのけた。安永は絶句して、返す言葉を見つけられなかった。今日子の言は、まさに安永の内心を言い当てていたからだった。

今日子に指摘されるまでもなく、安永は自分が家庭を壊す気がないことを悟っていた。いくら今日子を気に入っていると言っても、しょせんは浮気の相手である。帰る家があっての浮気であり、珠恵はともかく息子の秀輔を捨ててまで今日子に走りたいとは思わなかった。これでも安永は、それなりに家族を愛しているつもりであった。

「でも、ひどい話よね。部長がそんな人だなんて、これまで知らなかったわ」

安永が言葉に詰まったのを知ってか知らずか、今日子は自分から話題を元に戻した。

「あれで女子社員に対しては外面がいいからな。けっこう人気があるんだろ」

「あるわよ。なにせ部長と不倫してる子もいるくらいだもの」

「なんだって」

驚きのあまり、安永は飛び起きて今日子の顔をまじまじと見た。今日子は目許《めもと》に軽く笑みを滲《にじ》ませながら、そんな安永を見返した。安永の反応が滑稽《こっけい》に映ったようだ。

「自分だって不倫してるんだから、部長がしてるからって驚くこともないじゃない」

「そりゃ、そうだがな」

「けっこううちの会社、陰で不倫が多いのよ」

「知らなかったよ」

安永は答えてから身を戻したが、胸の底にはなにやらもやもやとわだかまるものが生じていた。自分が今、部長にしっぺ返しする格好の材料を手に入れたように思ったのだ。

「その部長の不倫相手が誰だか、お前は知ってるか？」

「知ってるわよ。あたしよりふたつ下の、資材二課の女の子。かわいい子よ」

「それって、社内では有名なのか」

「ううん。あたし以外では、ほんの数人しか知らないんじゃない。あたしはほら、情報通の依子《よりこ》と親しいから、たまたま聞いただけどね。秘密は保たれていると思うわよ」

「そうか」

安永は頷《うなず》き、腕組みをした。その口許には意識せぬほくそ笑みが浮かんでいた。

5

若田が不倫相手と会う日を事前に知ることはできないだろうかと尋ねると、今日子は難しいけどやってみると答えた。安永は自分の思いつきを説明しなかったが、漠然と想像がついたのだろう。今日子は事態の推移を楽しんでいる目で、安永の頼みを引き受けた。

そうした会話を交わしてから三週間経って、なんとかなりそうだという報告を今日子から受けた。この三週間、注意深く若田の不倫相手を観察していたところ、一週間に一度のペースでなにやらそわそわと退社する日があるという。その日の若田の行動を思い出してみると、なるほど確かに若田はそそくさと仕事を切り上げて帰宅していた。今日子の観察眼に間違いはなさそうだった。

今度その不倫相手がそわそわしている日があったら、すぐに教えてくれと頼むと、今日子は任せておけとばかりに軽く請け合った。根が面白がりの今日子は、事の展開が楽しくてならないようだった。

そしてある日、安永の机の傍らにやってきた今日子が、差し出した書類の陰にメモを忍ばせてきた。今日子が離れてからそれに目を落とすと、「今日のようよ」と簡潔に記されていた。安永はメモから部長室のドアへと目を移し、内心でひとり笑みを噛《か》み殺した。

手早く仕事を片づけ、定時ちょうどに退社した。日頃から残業を厭《いと》わず熱心に仕事に打ち込んできただけに、課長や部下は珍しげにこちらを見たが、誰も咎《とが》めようとはしなかった。「家庭の事情で、今日は早く帰らないといけないんだ」と曖昧《あいまい》な説明を付け加えておくと、皆納得したように頷いて安永を見送った。

一階ホールに下り、公衆電話に向かった。受話器を取り上げ、一一七の時報を聞きながら、あたかも相手と会話をしているように適当な相槌《あいづち》を打った。横目ではずっと、下りてくるエレベーターから吐き出される人の動きを見守った。

三分ほど会話している振りを続けていると、ようやく目指す相手が姿を現した。若田の不倫相手のOLである。OLは思いの外に地味なスーツに身を包み、脇目もふらずそそくさとビルを後にした。安永はおもむろに受話器を置き、さりげなさを装ってその後に続いた。

尾行などするのは初めてだったが、相手が尾《つ》けられていることをまったく警戒していないだけに、さほど難しいことではなかった。プロの探偵を雇うことも考えたのだが、若田から十五万円しかもらっていないのにそれ以上の金をかけて復讐《ふくしゅう》を謀っても割に合わないと思い直し、自らの足で行動することにしたのだ。尾行を始める前は若干の不安があったものの、始めてみれば存外に困難は少なかった。安永は徐々に気分が高まってくるのを覚え、ほとんど尾行を楽しみながらOLの後を追った。

OLはJR東京駅へと急いでいた。自動改札を定期券でくぐり、ためらいなく連絡通路を奥へ進んでゆく。安永もJRの定期券は持っていたが、相手がどこで下車をするかわからないという不安があったので、プリペイドカードで改札を通り抜けた。到着先で精算に手間取り、姿を見失っては困ると判断したのだ。

OLは中央線ホームへと上がり、すでに到着していた電車に乗り込んだ。安永はOLが乗ったドアはやり過ごし、ふたつ先から電車に乗った。車両はさほど混んでおらず、見通しが利く。窓外を見る振りをして、ＯＬの動静を窺《うかが》うことも可能だった。

やがて電車はドアを閉めて出発した。ＯＬはドア脇に立ったまま、ぼんやりと外の景色を眺めている。安永がそうした目で見るせいか、ＯＬは年齢が若いにもかかわらず、どこか不倫に疲れているような倦怠《けんたい》感を漂わせていた。若田も相当の悪党だなと、安永は自分のことは棚に上げてＯＬに同情した。

神田駅をやり過ごし、御茶《おちゃ》ノ水《みず》駅に到着した時点でＯＬは動き出した。安永は根拠もなく、ＯＬは新宿に向かうのではないかと予想していただけに、相手が突然下車したのには驚かされた。慌てて後に続こうとし、あまり急な動きを示しては目立ってしまうとすぐに考え直して、一拍おいてから悠然とホームに降り立った。ＯＬは改札口へと向かう階段を上がっているところだった。

なるほどお茶の水か、安永は後を追いながら、ＯＬがこの駅で降りた意味を考えて感心した。新宿ならば、ともすれば知り合いに会わないとも限らない。その点お茶の水であれば、わざわざ夜に遊びに来る町でもないので、誰かに見つかる危険性も少ない。安永も今日子との食事の場所にはいつも苦慮しているだけに、この選択には頷かされるものがあった。

ＯＬは改札を出ると、左に折れて駿河台《するがだい》下方面へと足を向けた。しばらく進んで、神保《じんぼう》町《ちょう》の古本屋街に出てからもOLは歩みを止めなかった。交差点を突っ切っても、彼女はそのまま迷いなく進み続けた。

やがてOLは道を左に曲がり、裏道に面した店のドアをくぐった。こぢんまりとしたその店は、ロシア料理を出すレストランのようだった。看板は小さく、気にせずにいれば見過ごしてしまうような地味な店構えである。常連しか受けつけないような、一見《いちげん》の客を拒絶する雰囲気を漂わせていた。

安永は今日の尾行の細かい対応策を練っていたわけではないので、OLが店に入った場合はどうすべきか特に考えてはいなかった。大きな店なら、素知らぬ顔をして自分も店内に入り、遠目から若田と落ち合う様を見守るつもりだったが、こんな小さな店ではそれも難しそうである。困ったなと周囲に目を配ると、隣の店の窓際の席が空いているのに気づいた。

そこは喫茶店だった。薄暗いので見落としてしまいそうだったが、店先には軽食のメニューも出ている。カレーライスでも食べながら外を見張るにはちょうどよい店と思われた。安永は安堵《あんど》の吐息をついて、その店に入った。

窓際に陣取り、外に目を転じると、好都合なことに往来がすっかり見渡せる。隣の店の人の出入りも、この席からなら一目瞭然《りょうぜん》だった。安永は満足してひとり頷き、改めてウェイトレスにカレーライスとコーヒーを注文した。

安永が席に落ち着いてから二十分ほどで、見憶《みおぼ》えのある顔が視界に入ってきた。言うまでもなく、部長の若田である。安永は新聞を広げて顔を隠したが、若田は隣の店の客にまで注意を払わなかった。自分が見張られていることなどまるで意識していない様子で、ロシア料理店へと入っていった。

安永は運ばれてきたカレーライスを、ゆっくりと平らげた。若田たちがバーなどで落ち合ったのならともかく、わざわざロシア料理店に入ったのだから、食事をするつもりなのだろう。こちらがカレーライスを食べるくらいの時間はあるはずだった。

案の定、食後のコーヒーが出てくるまで、隣の店に動きはなかった。安永はぼんやりとカップを口に運びながら、窓の外に目を向けていた。時刻は八時になろうとしている。食事だけで「はいさよなら」というつもりでないのならば、そろそろ動き出してもよい頃だった。

いささか安永が退屈を覚え始めていると、こちらの推測を裏づけるように隣の店のドアが動いた。先に出てきたのはＯＬで、後から若田が財布を懐に入れながら続いた。安永は伝票と用意しておいたちょうどの代金をレジに差し出し、喫茶店を後にした。

若田たちは寄り添うようにして、表通りの方へと歩いていた。安永は準備していたカメラを鞄《かばん》から取り出し、前方を行くふたりの後ろ姿に向けた。フラッシュが焚《た》けないのでどれだけ鮮明に写るか自信がなかったが、とりあえず数枚分のシャッターを切ってふたりの姿をフィルムに収めた。ズームを使ってできる限りのアップで撮ったので、なんとか顔の判別くらいはつくだろうと期待した。

若田たちは信号を渡って、大通りの反対側に出た。そこで手を挙げ、タクシーを拾う。彼らに続いて大通りを渡っていた安永は、電柱の陰に隠れて、その場面もしっかりとカメラに収めた。今度は街灯の下だったので、先ほどよりは役に立つ写真が撮れそうだった。

若田たちを乗せたタクシーが出発すると、安永もすかさず手を挙げて後続のタクシーを拾った。運転手に前方のタクシーの後を追ってくれと頼むと、「お客さん、探偵さん？」と好奇心丸出しの口調で尋ねられた。「まあ、そうだ」と曖昧に答えると、「任せといてくださいよ」と運転手は余裕たっぷりに応じて車を走らせた。

運転手は豪語するだけあって、車での尾行が巧みだった。尾ける相手との間に数台を挟み、つかず離れず後を追う。黄色信号などもためらわず突っ込み、決して若田のタクシーを見失わなかった。

若田のタクシーは、御茶ノ水駅方面へと戻っていた。そして駅を通り過ぎると、幾度か道を折れてさらに北上を続ける。どうやら湯島《ゆしま》方向へと向かっているようだった。

「こりゃあ、湯島ですね。ばっちりの現場が狙えるんじゃないですか」

追跡を楽しんでいるらしい運転手は、安永の内心を見透かしてそう話しかけてきた。まさに今、安永もそう考えていたのだった。

安永と運転手の予想どおり、若田を乗せたタクシーは湯島のラブホテル街へと入っていった。適当な路上で停止すると、ふたりを降ろす。安永はそのさらに後方でタクシーを乗り捨て、こっそりとふたりの後に続いた。「がんばってくださいね」と下車する際に運転手に声をかけられたのには、さすがに苦笑を禁じ得なかった。

だが、がんばるまでもなくあっさりと決定的な写真を撮ることができた。若田たちはまるで無警戒に、ラブホテルの玄関をくぐったのだ。安永は電柱の陰から労せずしてその場面を撮ることができた。面《おもて》を伏せようともしない若田の表情は、ラブホテルのけばけばしいライトを受けて、安永のカメラのファインダーにはっきりと捉《とら》えられていた。

6

「ずいぶんと思いがけない結果になったわねぇ」今日もまた、猫のようにベッドに寝そべりながら今日子は言った。「ここまで考えて、あんなことをしたの?」

「まさか、いくらなんでもこうまでするつもりはなかったさ」

安永はにやにやしながら、自分の顎《あご》を掌《てのひら》で擦《さす》った。今朝剃《そ》ったきりの髭《ひげ》は伸びかけていたが、むろんそれを綺麗《きれい》にして帰るわけにはいかない。珠恵には今日は麻雀《マージャン》で遅くなると言ってあるのだ。

「そうよねぇ。そんなにあれこれ陰謀を巡らすタイプじゃないものね」

今日子はシーツの上で体を丸めて、ストゥールに坐《すわ》る安永を面白そうに見上げた。

「それは誉めてんのかい？　それとも馬鹿にしてるのか」

「さあね」

今日子は目許《めもと》に笑みを滲《にじ》ませたまま、韜晦《とうかい》するようにそう答えた。安永は苦笑して、自分で淹《い》れたインスタントコーヒーを口に運んだ。

今日子の言う〝思いがけない結果〟とは、突然に若田が異動を命じられたことだった。若田は来月から金沢の工場に赴任することになる。本社の部長がそのような場所に異動するのは異例中の異例であり、誰の目にも左遷であることは明らかだった。

というのも、その数日前から若田が社員のOLと不倫をしているという噂が、誰ひとり知らぬ者がいないほど広範囲に広まっていたからだった。噂の発生源ははっきりしないが、それは燎原《りょうげん》の火のようにあっという間に社内を駆け巡った。このような噂は例がないわけではないものの、伝達の速度はかつてないほどに早かった。そのために、噂は社の上層部が意図的に流したのではないかという、まことしやかな憶測も流れたほどだった。

その噂を流したのは安永ではない。安永が広めようとしたところで、これほど鮮やかに人の耳に入れることはできなかっただろう。噂の発生源は上層部であるという憶測も、実は正鵠《せいこく》を射ているのではないかと安永は考えていた。

安永がしたのは、若田がOLとラブホテルに入ろうとしている場面の写真を、匿名で人事部に送ったことだけだった。最初は若田の自宅に送りつけてやろうかと考えたが、どちらがより若田にとって痛手かと考えて会社に送ることにした。これによって若田の社内評価が下がり、奴の出世に影が差せばいい気味だというくらいの発想に基づく行為だった。それが安永の思惑以上の効果を発揮してしまった。噂として耳に入ってきたのだが、どうやら若田の妻は会長の一族に連なる人間だったらしい。初耳であったが、そう言われてみればなるほどと思い当たる節もあった。特別有能とも思えない若田が部長職に就いていたのも、妻の引きがあってのことだったのだ。

噂によれば、若田の不祥事は妻の耳にも入り、激烈な怒りを呼び起こしたらしい。離婚騒動にまで発展し、結局別居を正当化させるために若田が単身赴任で金沢に赴くという結果に落ち着いたそうだ。若田にとっては、単なる浮気が大変な代償についてしまったことになる。このまま離婚ということになれば、もしかしたらもう二度と東京には戻ってこられないかもしれないのだ。

「かわいそうにねぇ」今日子は気持ちよさそうに大きく伸びをすると、上半身を起こして安永に顔を向けた。「たかが交通事故の賠償金を渋ったくらいで、こんなひどい仕返しをされるとは思いもしなかったでしょうに」

「だからおれも、ここまで大事《おおごと》になるとは思わなかったって言ってるじゃないか」

そう言われてしまえば、安永もいささか良心が痛まないでもなかった。そのために、ことさらに自分の行為を正当化するように語気を強めた。今日子がただ楽しんで言っているだけなのはわかっていたが、自分は悪くないとはっきり言葉にしておかなければ気分が落ち着かなかった。正直に言えば、自分のいたずら心が引き起こした波紋の大きさに、いまさらながら恐ろしさを感じ始めていたのだ。

「いくら上司だからって、部下に対して横暴に振る舞えば、こういう目に遭うってことね」

「そうそう、そういうことだよ」

今日子の言葉にしがみつくように相槌《あいづち》を打ち、安永はふたたびコーヒーを口に含んだ。安物のインスタントコーヒーは、ただひたすらに苦いだけだった。

「でもまあ、部長は因果応報としても、不倫相手だった女の子がかわいそうよね」

「結局、辞めることになるかな」

「そりゃあ、もうこれ以上会社にはいられないでしょ」

若田の不倫相手は、関係が公になると病気を理由に休み続けていた。ただでさえ出勤しにくいところに、今日の若田への辞令は追い打ちをかけることになるだろう。思えば彼女こそいい面の皮だった。安永はＯＬに対してはなんら含むところがなかったのに、その存在を利用して若田を失脚させてしまったのだ。いささか後悔するところがあるとすれば、それはOLの今後の身の振り方を不憫《ふびん》に思う気持ちから発していた。

「まあ、不倫なんてしていれば、いずれはこういうことになるのも覚悟の上だったでしょう。気にすることもないわよ」

安永が自責の念に囚《とら》われているのを見て取ったのか、今日子は軽い口調でそう言った。まるで天候の話でもするような、あっさりとした口振りだった。

安永はその言い種《ぐさ》が、自分たちの関係も視野に入れた上でのことなのか疑問に思ったが、それを改めて今日子に問い質《ただ》す気にはなれなかった。さして旨《うま》くもないコーヒーを残して、シャワーを浴びようとストゥールから立ち上がった。

7

その日は久しぶりに同僚から麻雀に誘われた。安永は先日今日子と会う際に麻雀を口実に使ったばかりなので、続けて同じ理由を珠恵に告げるのは気が引けたが、面子《メンツ》がどうしても足りないから来てくれと言われては誘いに乗らないわけにはいかなかった。半荘《ハンチャン》二回だけという約束で、少しの間同僚たちに付き合うことにした。

夕食はいらなくなったと伝えるために、自宅に電話を入れた。こうした誘いや残業などのために、夕食を家族とともにしないことは珍しくない。急遽《きゅうきょ》帰宅が遅くなったとしても、珠恵はいやな顔もしないはずだった。

ところがどうしたことか、電話は繋《つな》がらなかった。留守番電話が応答するだけで、珠恵は電話口に出てこない。買い物にでも行っているのだろうかと考え、後でもう一度かけ直してみようと思い直し、電話を切った。

同僚たちとは神田に出て、そこで麻雀卓を囲んだ。雀荘に落ち着いてから出前を頼み、牌《パイ》を切りながら食事を済ませた。今日の安永は運が向いていたようで、いきなり大きな手を上がった。興が乗ってきて没頭し、もう一度珠恵に連絡し直すのを忘れていた。

結局安永が勝ち続け、半荘は一時間経ってようやく終わった。同僚たちは「参った参った」と口々に言い、ひとりがトイレに立った。そのときにようやく、珠恵への電話を思い出した。

ピンク電話に十円玉を入れ、ダイヤルを回した。通話は繋がったものの、またしても留守番電話だった。時刻を見ると、そろそろ八時になろうとしている。こんな時間まで電話に出ないのはおかしいなと、そのとき初めて安永は訝《いぶか》しく感じた。

受話器を置いてどうしたことかと考えていると、トイレから戻ってきた同僚が続きを促した。安永は気がかりを感じつつも同僚の声を無視することができず、そのまま席に戻った。心を半分自宅に引っ張られながら、麻雀卓《マージャン》に向かい続けた。

今度は熱中できなかったためか、マイナスで終わった。そこで安永は、今日はここまで帰ると宣言した。もう少しやりたそうな同僚たちはなんとか引き止めようとしたが、安永としては麻雀どころではなかった。勝った分の受け取りは今度でいいと告げて、そそくさと雀荘を後にした。

電車に飛び乗ってから、珠恵と秀輔はどこかに外食に行ったのだろうかと考えた。しばらく待って安永が帰ってこないと見切り、ふたりでおいしいものでも食べに行ったのかもしれない。今までにそうしたことは一度としてなかったが、さりとてそれ以外には理由も思いつかなかった。

電車がひと駅ひと駅自宅に近づくにつれて、安永の不安は増殖していった。先日の、事故を告げる珠恵の電話を思い出す。あのときも安永は、必死の思いで自転車を漕《こ》ぎ病院に向かった。珠恵に対する日頃の不満などは、心の中から完全に消え失せていた。今日子との逢瀬《おうせ》は楽しみつつも、結局自分は家庭を壊すまでの度胸はないのだと、あの事件は安永に改めて再認識させたのだった。

電車を降りて改札を通り抜けてから、淡い期待を抱いて電話ボックスに飛び込んだ。どこかに出かけていたとしても、もういい加減帰ってきているだろうと考えたのだ。だが通話は、空しく留守番電話に繋がるだけだった。聞こえてくる自分の声の応答メッセージが、無性に腹立たしく思えた。

電話ボックスを出て、ほとんど駆け足で帰路を急いだ。歩けば十分ほどの道のりだが、安永はそれを六分ばかりで踏破した。階段を二段飛ばしで駆け上がり、《安永》と表札の出ているスティールドアに飛びついた。

ドアは鍵《かぎ》がかかっていた。それはいつものことなのだが、中に人がいる気配はなかった。呼び鈴を神経質に三度鳴らしてみたが、それに応じて出てくる足音もしない。安永は思考が混乱した頭で鍵を取り出し、開錠して玄関に飛び込んだ。

部屋の中は薄暗かった。窓を通して差してくる夜明かりだけが、室内を白々と照らしている。珠恵と秀輔の姿はなかった。

「珠恵」

呼びかけてみたが、応《こた》える声はない。何が起こったのかまったく理解することができず、安永はただ機械的に靴を脱いでリビングへと進んだ。

誰もいない部屋は、家具の配置などは何も変わっていないにもかかわらず、妙に閑散とした雰囲気だった。そのときようやく安永は、帰宅を誰も迎えてくれないことなど初めてだと気づいた。寂寥《せきりよう》感は、思いの外に強かった。

応接セットのテーブルの上に、何やら紙片が置いてあるのを目に留めたのは、放心からようやく醒《さ》めた後である。そこには数葉の写真と、一枚のメモがあった。

メモには珠恵の字で、「実家に帰ります。もうあなたと話し合うつもりはありません」と簡潔に記されていた。突然の離縁宣言は意味不明だったが、傍らに添えられている写真が真意を的確に補っていた。写真は安永と今日子がラブホテルに入るシーンを写し撮っていたのだ。

写真の下には、封筒があった。宛名は珠恵になっていて、差出人の名は記されていない。だが安永は、その写真を撮った人物の名を瞬時に思い浮かべることができた。安永が今日子を介して若田の浮気を知ったのならば、若田もまた安永の不倫を知ることが可能だったはずだ。自分だけが一方的に相手の秘密を握っていると考えたのは、あまりにも浅はかと言わねばならなかった。

若田の不倫の代償はあまりにも大きくついたとあざ笑った安永であったが、その言葉は今、そっくりそのまま自分に跳ね返っていた。失って初めて、安永はその喪失感の大きさを知った。

安永の脳裏には、事態を無責任に面白がっている今日子の笑みが浮かんでいた。

誘われる

sasowareru

〔長谷川《はせがわ》杏子《きょうこ》〕

1

新居の下見に来たときに受けた印象は、《養鶏場みたいなところだな》というものだった。

むろんわたしたちの新居についてではない。わたしたち夫婦が買ったマンションのそばの、巨大団地群を見ての感想だ。同じような灰色の無愛想な建物が、地の果てまでも続いているのではないかと思わせるほど林立している風景は、まさに人間版養鶏場と言うにふさわしかった。わたしは自分がこのような団地に住まないでいられることを、心の底からありがたいと感じたものだ。

夫も同様の印象を受けたらしく、「壮観だな」と短い言葉で語った。そのとおり、壮観な眺めだ。無数の同じような建物の、同じような部屋に住む、同じような家族たち。その日はたまたま平日だったためか、町を散策している人たちは皆、女性か子供ばかりだった。男の人たちは揃って同じ時間に会社に行き、同じ頃に帰ってくるのだろう。養鶏場の中で機械的に生かされ続けるブロイラーのように。

わたしはそんな町の眺めに好印象など持てるわけもなかったが、夫は意外にもけっこうこの地域を気に入ったようだ。わたしと同じ年格好の奥さん連中が多いことや、大型スーパーなどがあって生活に不便がない点を評価しているらしい。加えてマンションの価格が想定していた範囲内だったこともあって、結局そこに住まいを構えることになってしまった。わたしは積極的に賛成はしなかったが、さりとて絶対反対と言えるほどの論理的根拠があるわけでもなかった。なんとなく流されるままに、この町に住むことになってしまったのだった。

やはり自分の家というのはいいもので、しばらくは一歳の娘を抱きかかえる不便を忍びながら、新しい家具などをあれこれ検討する日々が続いた。転居してからも夫は、以前の住まいよりも通勤時間が長くなったことなどものともせず、嬉々《きき》として会社に通い続けた。ただでさえ遅かった夫の帰宅時刻は、引っ越してからいっそう遅くなったのだが、夫は疲れた様子などまるで見せなかった。娘が生まれ、自宅を購入したことで、以前にも増して仕事に打ち込む意欲が湧いてきているようだった。

そんな夫に引きずられるようにして、わたしも新生活の当初こそ浮き浮きした気持ちで過ごしていたのだが、次第に最初に感じた町に対する悪い印象が頭をもたげてきた。一ヵ月経っても二ヵ月過ぎても、わたしはこの町に馴染《なじ》むことができないでいたのだ。

マンション内にはわたしたちと同じ年代の夫婦はいなかった。価格が手ごろだったとはいえ、気軽に購入できるわけではなかったマンションは、ある程度の支払い能力を有する世代の人たちばかりだった。親からの援助を受け、自分自身も高給を取っている夫だからこそ買えたマンションであり、本当であればわたしたちのような若い夫婦が住める家ではなかったのだ。赤ん坊を抱えている家族など、わたしたち以外には一世帯もなかった。

自然わたしは、団地方面へと足を伸ばし、そこの公園で娘の芹奈《せりな》を遊ばせなければならなくなった。団地に住む家族たちは皆若く、敷地内の公園では芹奈と同じくらいの年格好の子供たちが大勢いたからだ。

芹奈は一歳の誕生日を過ぎてようやく人がましくなってきて、そろそろ友達が欲しい頃だった。わたしも一日中芹奈と付き合っているのに、精神的疲れを覚え始めていた時期だ。公園などで遊ばせ、他の子供たちと交流を持つことは、芹奈にとって絶対に良いことのはずだと確信していた。

ところがこの友達というのが、なかなか見つからないものだということに、すぐに気づかされた。ただ漫然と公園に連れていき、「ほら遊びなさい」と背中を押してやっても、簡単に子供たちの輪の中に入ってはいけないのだ。芹奈が引っ込み思案な子供だというせいもあるだろうが、すでにできている仲良しグループの中に後から入っていきにくいのは、幼児といえども大人と同じなのだった。

一歳の赤ん坊でそうなのだから、親たちはなおさらのことだった。ただ親子でベンチに腰かけ、他の幼児たちが戯れているのを漫然と眺めているだけでは、誰も話しかけてきてはくれない。無為のひなたぼっこを何日も繰り返して、ようやくそのことを悟った。

そこでわたしは、勇気を振り絞ってこちらから親たちに話しかけることにした。わたしと同じくらいの年格好で、同じくらいに小さい子供を抱えている親に、「こんにちは」と声をかけるのだ。芹奈と同様、あまり見知らぬ人との付き合いに慣れていないわたしには、ビルの屋上から飛び降りるほどにも勇気がいることだった。

話しかけるときには、心臓がどきどきと高鳴って仕方なかった。まるで男の人を自分から誘惑するような緊張感だった。話しかければたいていの人は愛想よく応じてくれた。芹奈もその場だけは子供たちに混じって遊ぶこともできた。

でもそれは、継続性のない交流だった。

そのときだけは邪険にされなくても、数日後に同じ場所で会ったときに親しみを示してくれる人は誰ひとりいなかった。本当にひとりもいないのだ。そのためにわたしは、芹奈を連れていろいろな公園を転々としなければならなかった。

そんなことになってしまった原因は、そのうちにわかってきた。公園で輪を作っている人たちは皆、団地に住んでいる奥さん連中なのだ。そこは一個の完結した世界であり、他の世界からの闖入者《ちんにゅうしゃ》が入り込める余地などは皆無だった。わたしが団地の人間ではなく、近くの高級マンションの住人だと知ると、母親たちは申し合わせたように白けた顔をした。わたしが自分たちの仲間ではないとわかり、目に見えない膜でわたしたち親子を弾《はじ》き飛ばすのだった。それがひとりふたりではなく、誰もが皆同じ反応であることがわたしを鼻白ませた。やはりここは養鶏場なのだと、改めて感じた。狭い籠《かご》の中で生きている鶏たちの間に、外で放し飼いになっている鳥は入っていけないのだ。

わたしは放浪に疲れ、こんな地域に越してきたことを後悔した。夫に愚痴をこぼしたものの、彼に事態を改善する手段などないのはわかっている。この先二十年以上もこの町に住み続けなければいけないのかと考えると、大袈裟《おおげさ》ではなく目の前が真っ暗になった。

その新聞の投書を目に留めたのは、わたしがそんな精神状態のときだった。

●一歳半の娘を持つ、二十八歳の母親です。子供を公園などで遊ばせたいと思っているのですが、なかなか友達ができなくて困っています。同じような悩みをお持ちの方、母子でお目にかかってしばらくお喋《しゃべ》りなどをしてみませんか。

〔坂井《さかい》みどり〕

2

あたしが新聞の家庭欄に投書をしたのは、読んでそのとおりの悩みを抱えていたからだ。子を持つ親なら、子供たちを通じて簡単に仲良くなれるだろうと、出産以前は軽く考えていた。ところがそれは、普通の親子の場合なのだった。あたしがあけすけに自分の身の上を話すと、誰もが皆ちょっと軽蔑《けいべつ》したような、そのくせ実は羨《うらや》ましげな顔つきをして離れていく。一般家庭の主婦の座に収まり返っている女性たちというのは、まったくいやになるほどあたしのような異端を認めないのだ。そうした話は三度の食事よりも好きなくせして。

そのうちあたしの方も、そんな俗物根性丸出しの母親たちと、無理してまで付き合いたいという気持ちはなくなった。友達なんて、昔からの知り合いだけで充分ではないかと、いったんは考えた。

でも、勤めを辞めて一日中家にいるというのも、あまりにも暇すぎて苦痛だった。勤めていた頃の友人たちとお喋りをしようと思っても、みんな夜の商売だから生活のリズムが違う。それにあたしの子育ての悩みなどは、話題が違いすぎて嚙《か》み合わないのだ。あたしはやっぱり、同じような境遇の人と気兼ねなくお喋りをしてみたかった。

あたしが柄にもなく新聞に投書してみようと考えたのも、暇を持て余していたからだ。勤めていた頃には、店のママがうるさくて日経新聞を読んでいたため、活字に目を通すこと自体は苦痛じゃない。時間があるので隅から隅まで新聞を読んでいるうちに、家庭欄に読者の投書を受けつけるコーナーがあることに気づいたのだ。

あたしは簡単な文章に、住所を添えて新聞社に葉書を送った。すぐに採用されるとは思っていなかったが、それはあっさりと掲載された。こんな投書は珍しかったのかもしれない。新聞にそれが載って以来、あたしは男からの電話を待つ以上にどきどきして反応を待ち続けた。

朝刊にあたしの投書が載ったその日は、電話は一回も鳴らなかった。あたしは少しがっかりした。すぐに反応があるとは期待していなかったものの、新聞の投書などはその日限りのものだ。一週間出回っている週刊誌などとは違い、二日も経てば古新聞でしかなくなってしまう紙に書かれている文章など、目にした人の記憶からもあっさり消えてしまうだろう。当日か翌日に連絡がなければ、投書は誰の目にも留まらなかったと考えるべきだった。

だからその次の日に電話がかかってきたとき、あたしは嬉《うれ》しさのあまり声を弾ませた。自分で思っていた以上に、孤独が応《こた》えていたらしい。杏樹《あんじゅ》の父親が最近あたしの家に足を向けなくなっていたのも、大きな原因ではあったのだけど。

電話をかけてきた相手は、偶然にもあたしと同じ年齢だった。あたしの投書を見て、住まいが電車でふた駅の近さなのを知って電話してきてくれたらしい。おずおずとしたその口調から、相手もかなり勇気を振り絞って電話してきたことが察せられた。勇気を出してまで電話してこなければならないほど、あたしと同じような境遇であることも理解できた。

相手の名前は長谷川杏子といった。杏子の杏は杏樹の杏と同じ字だった。それを言うと、なんとなく親しみを覚えてくれたのか、長谷川さんの硬い口調が少しほぐれた。

あたしたちはしばし自分らの置かれた状況について、愚痴まがいの説明を交わした。長谷川さんはマンション住まいのため、近くの団地の奥さんたちの輪に入れてもらえないでいるらしい。あたしは女特有の、そうしたムラ社会的根性が大嫌いだったので、大いに長谷川さんの立場に同情した。

でもあたしの方は、取りあえず自分のことについては話さずにおいた。まだ会ったこともない人に電話で話すことではなかったし、これまでの例から見てもある程度親しくなってから打ち明けた方がいいだろうという判断があったからだ。別にあたしは自分の立場を恥じちゃいなかったが、受け止める側が色眼鏡で見てしまうのであれば、隠しておくのも仕方のないことだった。

三十分ほど電話で話を続け、この人となら会ってみてもいいかなと思った。長谷川さんも同じように感じてくれたらしく、近いうちに会えないだろうかと切り出すと、快く応じてくれた。あたしたちは彼女が住む町にある大型スーパーマーケットの中の喫茶店で、二日後に待ち合わせることを約束した。

そしてその日のことである。あたしは初めてデートをする小娘のような浮かれた心境で、杏樹を抱いて喫茶店に向かった。電車に乗らなければならなかったので、少し余裕を見て家を出た。そのせいであたしは、喫茶店で三十分も待つことになってしまった。でもその間に、杏樹が運ばれてきた水をひっくり返したりして面倒をかけてくれたので、あたしは退屈を覚えている暇もなかった。

幼児を連れた女性が店に入ってきた瞬間に、あたしはそれが長谷川さんだとすぐにわかった。向こうもそれは同じだったらしく、あたしに顔を向け近づいてきた。幼児を持つ母親特有のシンパシーが、互いに相手の匂いを敏感に嗅《か》ぎつけたのだ。

「坂井さんですか」

長谷川さんはおずおずと話しかけてきた。あたしは立ち上がって、「ええ、そうです」と答えた。

「長谷川さんですね。初めまして。芹奈ちゃんも初めまして」

母親に抱きかかえられた小さな女の子に、あたしは笑顔を向けた。芹奈ちゃんはあたしを見ると、少し怯《おび》えたように母親の首にしがみついた。人見知りをする子らしい。

それとは対照的にうちの杏樹は、物珍しそうに長谷川さんたち母子を眺めていた。杏樹は親のあたしに似たのか、物怖《ものお》じというものをまるでしない。臆病《おくびょう》そうな芹奈ちゃんにはいい相手かもしれないと、あたしはすぐに考えた。

あたしたちはしばし、初めて会った者同士が交わすぎこちない会話を続けた。長谷川さんは緊張しているらしく、自分が喋らなければ間が保《も》たないとでも思ったのか、進んでいろいろと打ち明け話をしてくれた。あたしは二十分ほどで、彼女がどんな生活を送っているのか全部わかったような気になってしまった。

彼女の旦那《だんな》さんは、某一流商社のエリートサラリーマンらしい。なんでも一年のうちの四分の一は海外に出張しているそうだ。あたしの置かれている立場とはまるで違うのだが、なんとなく状況は似ているところがあった。でもあたしはそんな感想を口にはせず、「羨ましいですね」と無難な受け答えをしておいた。

「旦那さんがM――商事にお勤めなんて、奥さんは左うちわじゃないですか。この年で自分のマンションがあるなんて、本当に羨ましいわ」

あたしが住んでいるマンションは、一応杏樹の父親に買ってもらったことになっているが、名義はあたしのものではなかった。そういうところはしっかりしている男なのだ、杏樹の父親は。「羨ましい」と言ったのは、あながち社交辞令でもなかった。

羨ましがるだけで、あたしが自分についてまるで話そうとしないことに、長谷川さんは少しもどかしさを覚えているようだった。でもそれがわかっていても、あたしはすべてを打ち明けるわけにはいかなかった。ただ、「あたしの主人も留守がちなんで、境遇が似てますね」とだけ言っておいた。こちらが話そうともしないのに、初対面のうちから根掘り葉掘り聞き出すのは失礼だとでも感じたのか、長谷川さんは自分からは何も尋ねてこようとしなかった。一方的に喋《しゃべ》らせてしまい心苦しかったが、今後もお付き合いを続けていくのならばこれもやむを得ないのだ。

一時間ほど喋ってみて、長谷川さんがあたしなどとは違い、ずいぶん内向的な人なのだということがわかってきた。緊張過多で喋り続けてはいたが、本来は黙って人の話に耳を傾けているタイプなのだろう。そんな長谷川さんが自分から電話をかけてきたのだから、よほど耐えられない状況だったに違いないと推察できた。あたしはこの人となら、これからも友人付き合いしていけると内心で思った。もう少し親しくなったら、あたしと杏樹が置かれている状況について、すべて打ち明けようとも。

親たちの多少ぎくしゃくしたお喋りを尻目《しりめ》に、娘たちは言葉も通じないくせにいろいろコミュニケーションを取り始めていた。杏樹は自分が食べていたパフェのメロンを鷲掴《わしづか》みにし、それを芹奈ちゃんに差し出したりしていた。まだ歯が生え揃わない自分が食べられないものだからプレゼントしているのだろうが、芹奈ちゃんもびっくりしながらもそれを受け取っていた。たかがメロンひと切れでなんとなく交流できてしまうのだから、子供はいいなとあたしは微笑んだ。長谷川さんも、娘たちに目を向けたときだけは、緊張した面もちを少し柔らかくした。

さらに三十分ほどたわいもないお喋りをしてから、あたしたちは今日のところは別れることにした。あたしは別れ際に、「またお会いできるかしら」と持ちかけた。「お喋りできて楽しかったから。もし長谷川さんがいやじゃなかったら、また」あたしが同年齢の親しみを込めてそう言うと、長谷川さんはぎこちなく「ええ、ぜひ」と応じてくれた。今度会うときは、少しは気安くなってくれるといいなと、あたしは思った。

店を出るときの会計は、長谷川さんがまとめてしてくれた。三千円をちょっと出る金額だった。でもあたしはうっかりしていて、千円札を一枚しか持っていなかった。小銭もまるでない。仕方ないので千円だけ渡し、次に会うときに残りを払うと言っておいた。あたしたちは子供に手を振らせながら、店の前で別れた。

3

〔長谷川杏子〕

新聞社に問い合わせて電話番号を聞き、坂井さんの家に電話を入れるには、ありったけの勇気を絞り出さなければならなかった。もともと電話が苦手でめったに自分からかけようとしないわたしには、一面識もない相手に不躾《ぶしつけ》な連絡を入れるのなど、フルマラソンに挑戦するほどの気力を要した。それでも思い切って電話をしたのは、団地族への腹立ちが自分で思う以上に募っていたからだろう。わたしは同世代の友人に飢えていたのだ。

　電話してみると、坂井さんは思っていた以上に気さくな人だった。わたしが緊張していることをすぐに悟ったのか、わざと軽い口調で親密な雰囲気を作り出そうとしてくれた。どんな人かわからない相手といきなり会う約束を交わすのには躊躇《ちゅうちょ》があったが、話をしてみてわたしの心配が取り越し苦労であったことがわかった。わたしは二日後に駅前の喫茶店で会うことを約束した。

　実際に会ってみると、坂井さんは想像していたような外見の人ではなかった。予想よりもずっと派手な顔立ちで、化粧や服のセンスなども華やかだった。新聞に投書してまで友達を求めるくらいだから、もっとおとなしいタイプの、さらに言えばわたし自身に似ている人なのではないかと考えていたのだ。その予想が完全に裏切られて、わたしはしばし戸惑いを覚えた。

　その戸惑いが、わたしをいつになくハイにさせた。もっと落ち着いた自己紹介をしたかったのだが、上擦った気持ちのまま自分だけぺらぺらと身の上を語り始めてしまった。もしかしたら坂井さんは、そんなわたしに呆《あき》れていたかもしれないが、いらいらした様子も見せずじっと耳を傾けてくれた。派手そうな外見とは裏腹に、意外と落ち着いた雰囲気の人だと気づいたのは、三十分も経って喉《のど》の渇きを覚え始めた頃のことだった。わたしは水を飲み、ようやくひと息ついた。そしてふと、わたしばかり喋っていることの失礼さに気が咎《とが》めた。坂井さんは気を悪くしている様子もなかったが、今度は彼女の方の話が聞きたかった。わたしは坂井さんが喋りやすいよう、わざと間を開けて彼女の話を促した。

ところが坂井さんは、話が途切れると娘に注意を向けるだけで、積極的に自分について話してくれようとはしなかった。わたしはそのとき、軽い不安を覚えた。これから幾度も会ってお喋りをする仲になろうというのなら、もう少し基礎的なデータを知りたい。せめて旦那さんがどのような仕事をしているのかくらいは承知しておかないと、話題も見つけにくい。そしてそれ以上に、わたし自身が不安だ。

それなのに坂井さんは、いっこうに自分のことは語ろうとしてくれなかった。ただわたしの夫の勤め先を「羨《うらや》ましい」と言うだけで、「うちの主人は……」とは切り出してくれない。あまり自分のことは語らない性格の人なのか、それとも言えない特別な事情でもあるのか、わたしの疑問は胸の中でむくむくと大きくなっていった。

でも坂井さんは、自分について語らないということ以外は、常識もあるし落ち着いているし、話し相手としてはよい人だった。何よりもわたしは、お喋り仲間を欲していたのだ。今日はわたしがひとりで喋ってしまったために面食らっていたのかもしれないから、次に会うときにはどんな生活をしている人なのか語ってくれることだろう。わたしは自分にそう言い聞かせながら、これからも続けて会おうと約束を交わした。電話番号を教え、いつなりと連絡してくれてかまわないとも言い添えた。

店を出るとき、また気にかかることがあった。伝票がわたしのそばにあったので、一括して会計を引き受けたのだが、坂井さんはきちんと半額を支払ってくれなかったのだ。次に会ったときに残りを払うと軽く言うものの、会ったばかりの人に少額とはいえ金銭の負担をかけさせるとは、ちょっと気安いなと感じた。思えばわたしは、そのとき感じた違和感をもっと重視すべきであったのだ。

坂井さんから電話があったのは、その翌日のことだった。「昨日はどうも」と挨拶《あいさつ》を交わしてから彼女は、

「もし暇だったら、また明日にでも会えないかしら」

と切り出した。

「明日……」

わたしは一瞬口籠《くちごも》りながら、どうやって説明しようか迷った。実は今日、夫の母が突然ふらりとやってきて、あれこれ家の中を見て帰ったのだ。本人は孫の顔を見に来たと言っているが、わたしの主婦ぶりを採点しに来たのは明らかだった。わたしは落ち度を指摘さ

れないよう精一杯気を張って応対していたので、義母が帰った後は心労でへとへとになっていた。とてもではないが、明日出ていって坂井さんとお喋りする元気などなかった。わたしのしばしの沈黙を躊躇と受け取ったのか、坂井さんは「いいじゃない、昨日はお会いできて楽しかったし」と言った。

「今度は公園ででも、娘たちを遊ばせてやりましょうよ。駅前に大きな公園があるでしょ。前から一度、あそこの人工滝で杏樹を遊ばせてやりたいと思ってたのよ」

坂井さんの言葉には、有無を言わせぬ力があった。昨日は自分ばかりぺらぺら喋ってしまったという引け目があるだけに、疲れているから今度にしてくれとはどうしても言えなかった。なんとなく言われるままに、翌日会うことを約束させられていた。電話を切った後わたしは、義母との応酬で覚えた疲労以外のものを、首筋に重く感じていた。

翌日は坂井さんの希望どおり、わたしの家の近くにある市民公園で落ち合った。彼女の方はわざわざ電車で来てくれるのだから、こちらが疲れている顔などできない。とはいえ、そもそも気兼ねなくお喋りができる友達が欲しいと思って坂井さんに電話をしたのに、なんだか早くもあれこれ煩わされているような気がして、わたしは内心面白くなかった。

でも坂井さんに対しては、もちろんそんな思いを顔に出したりしなかった。坂井さんはわたしたち親子を見つけると、屈託のない仕種《しぐさ》で大きく手を振った。派手な顔立ちの彼女がそんな動作をすると、逆に普通以上に気さくな印象を他人に与える。坂井さんがこちらに親しみを持ってくれていることは、わたしにもはっきりわかった。

「いいお天気ね」

坂井さんは弾んだ口調で言うと、杏樹ちゃんにも挨拶をさせた。芹奈は杏樹ちゃんを憶《おぼ》えていたらしく、珍しく自分から近寄っていったりしている。わたしたちはさっそく子供たちを促し、大きな人工の滝の方へと移動した。初夏の暖かな日だったので、服を脱がせてそこで水浴びをさせるつもりなのだった。

杏樹ちゃんは水を怖がらず、歓声を上げて飛び込んでいったのだが、臆病《おくびょう》な芹奈はわたしの足に摑《つか》まったきりじっとその様子を眺めていた。

「大丈夫よ、芹奈ちゃん。ほら、杏樹も平気でしょ。お水に入ると気持ちいいよ」

坂井さんは屈《かが》んで芹奈にそう言った。芹奈は言葉もわからないくせにそれでなんとなく安心したのか、やがて勇気を振り絞って水の中に入っていった。最初は足先だけをびくびくと浸《つ》けていたが、しばらくすると杏樹ちゃんと一緒に大声を上げてはしゃぎ始めた。

わたしと坂井さんは水端のベンチに腰を下ろし、娘たちから目を離さないようにしながら寛《くつろ》いだ。娘たちに向ける坂井さんの目は、慈愛に満ちていて優しかった。

「――実はあたし、妊娠したとき産もうかどうしようか迷ったのよ」

何を思ったか坂井さんは、唐突にそんなことを告白した。わたしは戸惑って相槌《あいづち》も打てずにいたが、彼女はかまわず続けた。

「産んでいい状況じゃなかったのよね、妊娠がわかったとき。でもいろいろ考えて、産むことにしたんだけど、こうして実際に娘を育ててみると、やっぱり産んでよかったと思うわ。あのとき堕《お》ろしたりしてたら、きっといつまでも後悔していたろうから」

「産んでいい状況じゃなかったって、坂井さんの仕事の関係で？」

「まあ、そうね。当時はあたしもまだ働いてたし。でもそれもあるけど、もっぱら向こうの都合よ」

「向こう？」

「杏樹の父親の都合」

坂井さんはそう言ったきり、詳しい事情は話そうとしなかった。どうやらやっぱり、坂井さんの家庭はひと口では言えない複雑なものがあるらしい。わたしはそれ以上突っ込んだ質問をするわけにもいかず、その話題はそれきりになった。

坂井さんはすぐに明るい口調になって、わたしに料理は得意かとか、毎日家事をやっているといやにならないかとか尋ねてきた。どうも彼女は、あまり料理が得手ではないらしい。わたしが控えめに、料理には多少の自信があると告げると、目を輝かせて顔を振り向けた。

「いいわねえ。あたし、親にちゃんと料理を習ったことがないから、今頃そのつけが回ってきちゃってるのよ。もしよかったら、今度簡単でおいしい料理とか教えてくれない？」

「い、いいわよ」

「助かるわぁ。絶対よ、約束ね」

わたしが戸惑っているのにも気づかず、坂井さんは一方的に決めてしまった。料理を教えるということは、どちらかの家に行かなければならなくなる。まだ互いの家を行き来するほど親しくなったわけでもないのに、坂井さんはそんなことにはぜんぜん頓着《とんちゃく》していないようだった。

そうした調子で、今日は坂井さん主導で話が進んだ。先日はやはりわたしがハイになって喋《しゃべ》ってしまったせいで、彼女は聞き役に徹していたらしい。わたしがおとなしくしていれば、彼女はよく喋るタイプの女性だった。

坂井さんはもうわたしのことを親友とでも思っているのか、どんどんこちらのプライバシーにまで踏み込んできて、あれこれと話題を掘り下げた。わたしとしてはまだつかず離れずのお付き合いを望みたかったのだが、彼女の主導の許《もと》にはそんなことは無理そうだった。なんだか嬉《うれ》しいような、同時に困ったような、戸惑いを覚えさせる坂井さんの態度だった。

坂井さんが、「あら」と声を上げたのは、娘たちを水から上げて体を拭《ふ》いてやっているときのことだった。

「山本《やまもと》さんじゃない。久しぶりね」

知り合いらしい。どうやら坂井さんは公園にやってきた、わたしたちと同年輩の子供連れに声をかけた。

「あら」

「珍しいわね、こんな方にまで足を伸ばしてきたの」

「ええ、こっちにお友達ができたもので」坂井さんはわたしを目で示して、言った。「あなたは今日はお買い物？」

「そうなのよ。子供の服を買ってやったんだけど、大人の服よりもずっと高いのよね。どうせ汚してぼろぼろにしちゃうけど、裸のままにさせておくわけにもいかないじゃない。困っちゃうわ」

山本さんと呼ばれた女性は、手を引いていた男の子を顎《あご》で差して、肩を竦《すく》めた。山本さんは「じゃあね」と言って、すぐに立ち去った。

「こっちにも友達がいたの？」

坂井さんには子供を持つ友達がいないものと思っていたので、少し奇異に感じた。友達がいるのなら、わざわざ新聞に投書などしてお喋り仲間を探すこともないではないか。

「友達じゃないのよ。ただの知り合い。以前にね、ここじゃない公園で知り合って、少し話をしたことがあるけど、それだけのことなの。あまりお付き合いはないわ」

「そう……なの」

確かにそういう知り合いならば、わたしにもたくさんいる。坂井さんがなぜ山本さんと親しい付き合いができなかったのか事情はわからないが、なんとなくその気持ちだけは察することができた。

その日わたしたちは、また喫茶店でお茶を飲んでから別れた。

4

〈長谷川杏子〉

料理を教えるという約束を、坂井さんはしっかりと憶えていた。すぐに電話を寄越し、また例の調子で勝手に日取りを決めてしまう。わたしはすっかり坂井さんのペースに巻き込まれてしまっていた。

公園で遊んだ三日後に坂井さんは我が家までやってくると、「わあ、いいマンションね」などと言いつつ、無遠慮に部屋中を見て回った。どうやら彼女は、奥ゆかしさなどとは無縁の性格のようだ。わたしは土足で家の中に踏み込まれたような、なんとも言えぬ不快感を覚えた。

彼女の図々《ずうずう》しさは、会うたびに増してくるようだった。自分は申し訳程度にニンジンとジャガイモを持ってきただけで、あとの材料はうちにあるもので済まそうと考えているらしい。仕方なくわたしは一応の講釈を垂れながら調理したが、ほとんどわたしひとりが坂井さん親子の分も作ったようなものだった。結局彼女は、何かを学んだ気配もなく、お腹いっぱい食事をして、挙げ句お茶までわたしに淹《い》れさせてご機嫌で帰っていった。

それから坂井さんは、週に二度は遊びに来るようになった。もちろんこちらの都合などはおかまいなしである。わたしは軽い頭痛持ちで、月に一度はどうにも頭が重たくて仕方のないときがあるのだが、坂井さんはそんなことにはまるで気を使ってくれなかった。夫の帰りが遅いのをいいことに、うちで夕食を食べていくことも再三だった。

わたしは坂井さんとの付き合いが憂鬱《ゆううつ》になり始めていたが、それでも顔を合わせればむっつりしているわけにもいかなかった。うちでお茶を飲みながら四方山《よもやま》話をしているうちに、自然と愚痴を垂れるような話の展開になることもある。そんなときわたしは、夫の帰りが遅いことの不満などを彼女に漏らしてしまった。それが軽率なことだったと気づいたのは、しばらく経ってからのことだった。

坂井さんがうちにやってくるようになって一ヵ月も過ぎた頃から、なんとなくマンションの住人たちの目に好奇の色が浮かぶようになってきた。引っ越してきた当初はわたしたち夫婦になどまるで関心を示さなかった住人たちが、なにやらお為ごかしな口調で話しかけてくるようになったのだ。

「最近、お元気がなさそうですねぇ」

エレベーターの中で一緒になった初老の女性は、そんなふうにわたしに言葉を投げた。女性はわたしの家の、ひとつ下の階に住んでいる人だ。

「別にそんなこともないですけど」

何を言うのだと不審に思いながらわたしが応《こた》えると、

「旦那《だんな》さんとは仲良くした方がいいですよ」

捨て台詞《ぜりふ》のように言って、ケージを降りていった。

わたしは何を言われたのかとっさにはわからず、しばし呆然《ぼうぜん》とした。なぜふだん話もしない人に、そんなことを言われなければならないのか、まるで理解できなかった。意味ありげな目でわたしを見るのは、その初老の女性だけではなかった。マンション内で会う人会う人、いかにも同情しているといったいやらしい目つきをわたしに向ける。わたしたち夫婦の仲がうまくいってないという噂が、いつしかマンション中に広まっていたのだ。

わたしがその理由に思い当たったのは、鈍いことにずいぶん時間が経ってからのことだった。気づいてみれば、わたしは腹が立って腹が立って仕方がなかった。どういう事情か知らないが、坂井さんは何度もこのマンションに出入りするうちに、住人たちと立ち話でもするようになったのだろう。そしてその際に、わたしたち夫婦の悪評を流しているに違いない。曲がりなりにも友達と思っていた坂井さんに裏切られた気がして、もう二度と彼女には会うまいと心に決めた。

ところが坂井さんは、自分がしたことなどまるで気にかけていないようで、しゃあしゃあとまた遊びに来た。わたしはいい機会だとばかりに、なんでひどい噂を流すのだと食ってかかった。

すると坂井さんは、

「なんのこと？」

と真顔でとぼけるだけで、まるで暖簾《のれん》に腕押しだった。彼女の鉄面皮ぶりには、わたしもただ呆《あき》れるだけだった。

坂井さんは逆に、自分以外に夫婦仲の不満を誰かに漏らしていないかと尋ねてきた。いかにも心配しているという態《てい》を装っているのだ。わたしは露骨にムッとした態度を面《おもて》に出したが、彼女は白を切りとおした。こちらが怒ってしまったことにはさすがに気が咎《とが》めたらしく、精一杯ご機嫌をとるようなことを言い募る。もともと口がうまい坂井さんがぺらぺらと捲《まく》し立てると、なんとなくわたしもいつまでも怒りを持続できないような気になってきてしまうから不思議だ。きっとわたしは、根っからのお人好《よ》しなのだろう。結局、坂井さんを許してあげようかという気になってしまった。

その頃から、家の中のお金が少しだけなくなったりすることが起こるようになった。

〔坂井みどり〕

5

あたしは長谷川さんという友達ができて、嬉《うれ》しくてしょうがなかった。長谷川さんは本当に気のいい人で、あたしが何度もお邪魔しても、いやな顔ひとつしたことがない。芹奈ちゃんと杏樹もいい友達になれたようだし、これからもずっと行き来できる仲でいたいものだと望んでいた。

あたしはそろそろ、自分の身の上について打ち明けてもいいかと考えていた。こちらの生活状況を知らせないまま、いつまでも友達付き合いはできない。きっと長谷川さんなら、あたしの身分を軽蔑《けいべつ》したりはしないはずだと思った。

ところがある日、彼女の方から何気なく切り出され、あたしは面食らってしまった。

「杏樹ちゃんのお父さんって、国会議員の御曹司《おんぞうし》なんですってね」

「えっ」

あたしは絶句して、しばしぽかんと口を開けた。どうして長谷川さんがそんなことを知っているのか、まるでわけがわからなかった。

「ど、どうしてそれを……」

あたしは我にもなく狼狽《ろうばい》し、口籠《くちごも》ってしまった。秘密がばれたことに慌てたのではない。

自分から打ち明けたかったのに、それがいつの間にか長谷川さんの耳に入っていたことにショックを受けたのだ。

「いつだったか公園で会った人がいたでしょ。山本さん、って言ったかしら。あの人にこの前偶然会って、少し立ち話したときにあなたのことを聞いたのよ」

なるほどそういうことか。確かにあたしは以前、山本さんに自分の生活について話したことがある。山本さんはそれを聞くと、軽蔑したような目であたしを見て離れていったのだ。よけいなことをべらべら喋《しゃべ》ってくれるものだ。あたしはそっと奥歯を噛《か》み締めた。

「あなた、その議員の息子の愛人だったのね。どうりで旦那さんの話をぜんぜんしないと思ったわ」

「別に隠すつもりじゃなかったのよ。そのうち打ち明けようと思ってたわ。別に恥ずかしいこととも考えてないから」あたしは言って、少し挑むように顎《あご》をしゃくった。「軽蔑する、あたしのこと？」

「軽蔑なんてしないわ。そんな、するわけないでしょ」

長谷川さんは言うと、優しそうな顔でにっこり微笑んだ。

〔長谷川杏子〕

6

お金がなくなるのは坂井さんが来た後だということに、じきに気づいた。最初は気のせいかと思っていたが、二度三度と続くうちに間違いないと確信した。彼女は月々多額の愛人手当をもらっているくせに、それでもまだ足りないらしい。少し気を許したばかりに、どこまでわたしに食いついてくるつもりなのだろう。

とはいえ、坂井さんがうちからお金を持ち出しているという証拠はまるでなかった。警察に言ったところで、いい加減にあしらわれてしまうのが関の山だろう。わたしは腹立ちを抑え、今後は二度と坂井さんを家に上げないようにしようと決心した。思えばいやな噂を流されたときに、なあなあに許してしまったのがいけないのだ。

坂井さんはそれからも変わらず何度も電話を入れてきたが、わたしはあれこれ理由をつけてその都度断るようにした。断固断る気になれば、いくらでも口実などは思いつくものだ。そのうち仲が疎遠になり、自然消滅すればそれでいいと考えていた。

ある日のことだった。

わたしは持病の頭痛が激しくなり、一歩も動けない状態になってしまった。夫はいつものように、会社に行ったきりいつ帰ってくるかもわからない。わたしは痛む頭を抱え、半べそをかきながら布団の中で体を丸めているだけだった。

そんなときに、また坂井さんから電話がかかってきた。いつもだったら相手にしないで適当に切り上げるところだが、今日ばかりはそんな気力もなかった。今、具合が悪くて臥《ふ》せっているからと言うと、彼女は例の調子で大変心配してくれた。こういうときは、本当に人がよさそうな声を出すのだ、坂井さんは。

彼女はすぐにこちらに向かい、家の中のことをしてくれると言う。わたしはありがた迷惑に感じたが、それを断ることもできなかった。わたしが寝ていては、芹奈に食事させることもできないのだ。不本意ながら、坂井さんを家に上げることにした。

彼女はやってくると、わたしの病状を大袈裟《おおげさ》に心配し、てきぱきと動き出した。氷枕を作ってくれ、シンクに溜《た》まっていた汚れた食器を洗い、わたしと芹奈に食べるものを作ってくれた。いやいや迎え入れた坂井さんだったけれど、この働きぶりには正直感謝の念を覚えた。度を超えた図々《ずうずう》しい性格だが、優しいところもあるのだ。だからわたしは、今まできっぱりと縁を切ることもできず、ずるずる付き合いを続けているのだった。

芹奈はずっと退屈していたらしく、坂井さんたち親子が来るとたんにはしゃぎだした。いつもはおとなしい子なのに、今日ばかりはうるさく騒ぎまくった。その声はわたしの頭にがんがんと響き、とても耐えられなかった。

「ごめんなさい、坂井さん。少し芹奈を静かにするように叱ってくれる？」

わたしが青息吐息で頼むと、坂井さんは頷《うなず》きはしたものの、芹奈を窘《たしな》めようとはしなかった。

「じゃあ、少し表に遊びに行こうか、芹奈ちゃん。お母さんは静かにしてて欲しいって言うから」彼女は芹奈にそう言って、わたしに顔を向けた。「ね、その方がいいでしょ。その辺を散歩してくるから、少し眠りなさいよ」

「そうしてくれると助かるわ」

わたしは頷いて、目を閉じた。せめて二時間でも静かに寝ていたら、この頭痛も治まってくれるだろうと考えた。

坂井さんは芹奈を連れて出ていき、夕方になって帰ってきた。それからまたわたしたちのための夕ご飯を作り、自分たちはそのまま帰っていった。これでまた、彼女との縁を切るわけにはいかなくなったなと、わたしは漠然と考えた。

しばらく安静にしていたせいで、頭痛もずいぶんと楽になっていた。芹奈とふたりでご飯を食べて、お風呂《ふろ》に入ることにした。坂井さんはお風呂も沸かしておいてくれたのだ。

脱衣所で芹奈の服を脱がせているときのことだった。わたしは自分の目に映った光景に息を呑《の》み、その場で石のように固まった。芹奈の手足には、酷《むご》たらしい折檻《せっかん》の痕《あと》があったのだ。

彼女だ。坂井さんにやられたに違いない。きっと芹奈は彼女に連れられて出ていった後でも我が儘《まま》なことをして、坂井さんを困らせたのだろう。坂井さんはそんな芹奈に、容赦のない仕打ちを加えたのだ。

目の前が血で塗り潰《つぶ》されたように赤くなった。あまりの怒りに、視界が染め上げられたのだ。わたしたち夫婦の悪い噂を流されてもいい。お金を持っていかれたって、大きく譲って許すこともできる。しかし芹奈に対するこの仕打ちだけは、絶対に許せない。坂井さんは娘を持って本当によかったと言っていたではないか。そんな人が、他人の娘にはこんなひどいことをするのか。なんて自分勝手な人なんだろう。

わたしは芹奈を脱衣所から連れ出し、傷の手当てをした。そして静かにお留守番してるんだよと何度も言い聞かせ、家を後にした。このまま泣き寝入りすることは、今度ばかりは絶対にできなかった。

坂井さんの家には、何回か行ったことがある。駅からすぐの、超高級マンションだ。わたしはそこに、沸々と煮えたぎる怒りを抱えながら向かった。

電車でふた駅の距離でしかないので、三十分もしないうちにマンションに到着した。オートロックのエントランスで部屋番号を押し、応答があるのを待つ。坂井さんは太平楽な声で、「はい」と応じた。

「長谷川です」

わたしは押し殺した声で言った。坂井さんは「あら」と驚いたような声を上げた後、

「どうしたの。もう具合はいいの?」

と訊《き》いてきた。

「ええ、だいぶ楽になったわ。それよりもあなた、うちに忘れ物をしていったでしょう。それを持ってきたのよ」

「そうだった? ぜんぜん気づかなかったわ。わざわざそれを持ってきてくれたの? 別に今度会うときでいいのに。ちょっと待ってね、すぐに開けるから」

彼女の声が途切れると、エントランスのドアが自動的に開いた。わたしは足を進め、エレベーターに乗り込んだ。

彼女の部屋の前に行き、ドアチャイムを押すと、すぐに内側からドアが開かれた。びっくりしたような表情の坂井さんが顔を覗《のぞ》かせた。

「あなた、本当にひどい人ね」

わたしは前置きもなく切り出した。もはや上辺を取り繕う必要もない。

「な、なんなのよ、藪《やぶ》から棒に」

坂井さんはわたしの剣幕に戸惑ったような、びっくりした表情を見せた。わたしの怒りの原因には見当がつくはずなのに、あくまで白を切るつもりなのだ。わたしは奥歯をきりりと噛み締めて、一気に捲《まく》し立てた。

「あなたがわたしたちの悪い噂を流したり、うちからお金を盗んでいたのは知ってたわ。

それをわたしが黙認しているのをいいことに、お金を盗んでいくだけじゃ飽きたらず、芹奈にまで暴力を振るうなんて、どれだけわたしたちにひどいことをすれば気が済むの？もういい加減わたしたちにとり憑《つ》くのはやめてよ、この疫病神！」

叫ぶと同時に、家から持ってきた包丁を取り出した。わたしは逆上した自分の気持ちを抑えられなかった。

彼女は「ひっ」と息を呑むと、激烈な反応を示して飛び出してきた。わたしはその動きに意表を衝《つ》かれ、彼女が外に逃げ出すのを許してしまった。彼女は階段に向かい、そのまま階下に下りていった。わたしは包丁を握ったまま、その後を追いかけた。

「誰かあっ、助けて、助けてぇっ！」

彼女は叫びながら、転げるように階段を下りていた。履いていたサンダルも脱ぎ捨てて、裸足《はだし》で飛び下りていく。わたしは無言で彼女の背中に迫った。

「誰か、誰かー！」

彼女の逃げ足は早く、ついに一階にまで下りてしまった。エントランスをくぐり、外に飛び出す。だが裸足のためその速度は次第に落ちてきて、もう少しでわたしの包丁が背中に届く距離になった。

わたしはこれまでの恨みを込めて包丁を振りかぶった。これを振り下ろせば、わたしにつきまとう疫病神とも縁が切れると思った。

そのときだった。包丁を握る手首を後ろから思い切り摑《つか》まれ、わたしはそれを取り落とした。驚いて振り向くと、そこには体格のいい男の人が立っていた。

「奥さん、大丈夫ですか！」

先を走っていた彼女にそう声をかけたところを見ると、マンションの住人なのだろう。彼女の悲鳴を聞いて、わたしを止めに来たのだった。

坂井さんは路上にぺたんと坐《すわ》り込んで、呆然《ぼうぜん》とわたしを見ていた。わたしは目的を遂げられなかった悔しさに、彼女を精一杯睨《にら》みつけてやった。これまで我慢に我慢を重ねてきた鬱憤《うっぷん》を晴らすことができないのが、残念でならなかった。

7 〈坂井みどり〉

長谷川さんに襲われかけてから数日後、一通の手紙があたしの許《もと》に届いた。それは事件直後に土下座してあたしに詫《わ》びた、長谷川さんの旦那《だんな》さんからのものだった。あたしはそれを、涙なしに読みとおすことはできなかった。

拝啓　坂井様

本来であれば直接お目にかかり釈明をせねばならないところですが、冷静にご説明申し上げる自信がありませんので、失礼ながらまずは書面にて事情をつまびらかにしたいと考えました。失礼は重々承知しておりますが、なにとぞ当方の苦渋をお察しの上、ご寛恕《かんじょ》願いたいと思います。

妻の杏子の心が、病と診断されるほどに病んでいたとは、わたくしは不明にも気づかずにおりました。日頃から仕事にばかりかまけ、夫としての義務を放棄していたわたくしの責任は大きく、なんとお詫びをしたらよいものか、言葉もございません。この上は妻をしかるべき病院に入れ、完全なる治療を施したいと考えております。

妻は育児ノイローゼと新しい環境に適応できないストレスが重なり、かなり重度の精神的病を患っていたのでした。娘を連れて公園に行っては、ただベンチに坐ってぶつぶつとひとり言を呟《つぶや》いているような状態だったそうです。友達ができないという愚痴をこぼされたことがありましたが、まさかそのような状態だったとは露ほども知りませんでした。友達ができないのも当然のことです。

そんな中で、坂井様だけが普通に妻と接してくださったのは、わたくしどもにとってはありがたいことでしたが、坂井様には多大な迷惑をかけることとなってしまいました。妻は坂井様がなかなかご自分の事情をお話しにならなかったことで疑心暗鬼になり、探偵事務所まで使って坂井様の身辺を探っていたそうです。そして坂井様の事情を知ると、愚かにもそれで優位に立ったつもりでおったのでした。妻にしかわからない理屈の、被害妄想の一端でした。

被害妄想と言えば、妻は坂井様が近所に悪い噂を流していると信じ込んでいたようですが、それは夜毎にわたくしたちが声高に叫ぶ口喧嘩《くちげんか》によって自然に浸透したことでした。それを妻が坂井様のせいにしていたのは、被害妄想以外の何物でもありません。

そうした妄想は他にいくつもあったようです。妻は記憶そのものに連続性を失うほど重病で、自分の使った金すら、自分でわからずにいたのでした。そして金がなくなっていることも、坂井様のせいにしていました。まったくの逆恨みであることは、当方も警察も確認しております。

むろん芹奈に対する折檻《せっかん》も、妻が自分でしたことでした。妻は頭痛に耐えきれず、まとわりつく娘に八つ当たりしていたのです。そして自分の行為を自分で認めることができずに、坂井様に責任転嫁してしまいました。そのせいであのような愚かな行動に走ったことには、弁解の言葉すらありません。今はただ、坂井様が怪我を負われなかったことだけが不幸中の幸いと胸を撫《な》で下ろしています。

妻の病気が完治するには、相当の時間がかかりそうです。むろんわたくしとしましては、どれだけ長くかかろうとも、妻の完治を望んでおります。また、坂井様に対しての慰謝料等につきましても、最大限の誠意をもってお応《こた》えしたいと考えています。

お詫びして済むことでないのは、身を切り刻まれるほど強く承知しております。ですが今はただ、こうして繰り言めいた書面をしたためることしかできません。一日も早く坂井様の精神的ショックが癒《い》えることを願ってやみません。

敬具

長谷川文彦《ふみひこ》拝

腐れる

kusareru

1

臭いな、と思ったのは、洗濯物を干すためにベランダに出たときのことだった。

生ゴミの臭いだった。部屋の中にいたときにはまったく気づかなかったが、外に出たとたんにぷんと臭った。人によっては気にならない程度の臭いでも、亮子《りょうこ》にとっては不快だった。昔から臭いには人一倍敏感な方なのだ。なるべく鼻で呼吸をしないようにして、手早く洗濯物を干し終えた。

部屋の中に戻って、ようやく息をついた。部屋の空気は妙な臭いなどしない。隣か、あるいは上下の住人が生ゴミをベランダに出しているせいなのは間違いなかった。

どこの人がゴミを溜《た》めているのだろう。亮子は考えてみた。今日は週に三度のゴミの日だった。今朝捨てていれば、ベランダにゴミを置きっぱなしにする必要もなかったはずだ。それなのに変な臭いがするのは、寝坊して捨てられなかったか、あるいはうっかり忘れていたかだ。どちらにしろ、主婦としてあまり誉められたことではない。亮子は結婚してから半年になるが、ゴミを溜めたことなど一度たりとてなかった。

臭いはさほど強くなかった。なんとなく、上下の住人よりも左右のどちらかから臭ったような気がする。亮子は両隣の奥さんの顔を思い浮かべてみたが、ふたりともゴミを溜めるようなタイプには思えなかった。人は見かけによらないということか。

そろそろ暑くなる季節だった。生ゴミなどは気をつけないと、すぐに腐って異臭を放つだろう。他人の家庭の事情をあれこれ想像するよりも、自分が周囲に迷惑をかけないよう心しなければと、亮子は自分に言い聞かせた。

2

「おー、また始まったな」

久しぶりに早く帰ってきた夫の惟文《ただふみ》が、声を潜めてそう言った。食事している手を休めて、耳を澄ますような顔をする。亮子と目が合うと、愉快そうににやりと笑った。

「ここのところ、毎日よ」

亮子も思わず苦笑を浮かべる。惟文のように野次馬根性を発揮することはできないが、さりとて不愉快な気分にさせられるわけでもない。ともかく苦笑するしかないのだ。

また始まった、と惟文が言うのは、隣の山村《やまむら》家の親子喧嘩《げんか》のことだった。山村家の娘さんは最初の反抗期を迎えているのか、何かというと「いや！」と母親の言葉に逆らっている。それに対して山村さんの奥さんも、大声を上げて叱りつけるので、やり取りの一部始終が聞きたくなくても聞こえてきてしまうのだ。引っ越してきた当初は突然の怒声に驚かされたものだが、最近ではすっかり慣れてしまった。惟文に至っては、聞き耳を立てて喜んでいるような始末だった。

「いやぁ、しかし毎度元気だね」惟文は変に感心したような声を出す。「子供ってのは、あんなに親の言うことを聞かないものなのかな。だったらおれ、子供作るのちょっと考えちゃうなぁ」

「しょうがないわよ。三、四歳はちょうど反抗期なんだから。それを過ぎたらおとなしくなると思うわ」

「しかし、毎日じゃたまらんな。子供も元気だけど、親もパワーがいるようだ」

結婚してからわかったことだが、惟文はあまり子供が欲しいと思っていないようだった。積極的に作らないようにしているわけではないが、できなくてもかまわないという気持ちではあるらしい。子供を欲しがらない人がいるなどとは考えられなかった亮子は、その辺のことを結婚前にきちんと話し合ったことがなかった。結婚をすれば子供を産み、育てるのが当然のことだと頭から思い込んでいた。それだけに子を持つことに積極的でない惟文には、ただ驚かされる心境だった。

　何かというと惟文は、言葉の端々に子供をいやがるような気持ちを滲《にじ》ませる。今の台詞《せりふ》にしても、山村さんの家の事情にかこつけてはいるが、自分自身の本音に違いない。普通の家庭を築きたいと願っている亮子としては、そのまま受け流すことはできなかった。

「親もパワーがいると言っても、それは四六時中子供と一緒にいる母親の話でしょ。あなたを疲れさせることはないと思うわ」

「まあ、そうは言ってもさ。夜や休みの日は一緒にいるわけだろ。たまんないよなぁ」

「そんなに子供がいやなの」

　亮子としては、惟文がなんと言おうが子供を産むつもりだった。妊娠さえしてしまえばこっちのものなのだ。いくら子供が好きでないといっても、まさか堕《お》ろせとまでは惟文も言うまい。子供を産むこと自体は不可能ではないのだ。

とはいえ、歓迎されざる出産は、亮子としても望ましくない。どうせ子供を産むのなら、やはり惟文にも祝福して欲しい。そのためにも今のうちに、夫の考えを変えさせる必要があった。いつまでも、暗に仄《ほの》めかすようなことを言わせておくわけにはいかない。

「いや、そういうわけじゃないけどさ。なんか大変そうだなと思っただけ」

　亮子が少し臍《へそ》を曲げたのが伝わったのか、惟文は慌てて言い繕うと、食事に戻った。亮子も休めていた箸《はし》を動かす。親子喧嘩はまだ続いていた。

「それにね」しばし黙って料理を口に運んでから、亮子は付け加えた。「こう言っては悪いけど、普通はあそこまで親に逆らうことはないと思うわよ」

タイミングよく、「いやいやいや!」と聞き分けなく喚《わめ》く声が聞こえた。惟文は呆《あき》れたように眉《まゆ》を吊《つ》り上げた。

「まあ、そうだろうなぁ」

「あたしとあなたの子供なら、もっとおとなしい子に決まってるわ」

「そう願いたいけどね」

続けて母親の、子供に倍する大声が響いた。頬を打つような鋭い音も聞こえる。一瞬後には、火が点《つ》いたような泣き声が始まった。

「あーあ」惟文は言って、呆れたように笑った。「あの奥さんもけっこうおとなしそうなのに、怒るときは怖いよな。外で会うときとは別人みたいな声を上げるじゃん」

「そうよね」

小さな声で同意を示す。人は見かけによらないというのは、昼にも考えたばかりのことだ。亮子はふと、ベランダの生ゴミの臭いを思い出した。

「あれが母親の強さって奴かね。亮子も子供が生まれると、あれくらい怒鳴るようになるのかな」

惟文はまた遠回しに、話を蒸し返すようなことを言う。亮子は少しふくれっ面をして見せた。

「だから、お隣は少し度が過ぎてるのよ。いちいちうちの将来に重ねないで」

「一番手近な見本だからね。気にするなと言っても、気になるぜ。まあ、亮子は優しいお母さんになってくれるよな」

「それは旦那《だんな》さん次第よ」

今度はわざと、にっこり微笑んだ。惟文は首を竦《すく》めて、「わかりました、わかりました」と二度繰り返した。

3

亮子が半年前に越してきたマンションは、まだ築後一年の新しい建物だった。売り出しのときに購入した人がすぐ転勤になり、戻ってくるまで賃貸に出したのだ。同じ会社に勤めている惟文は、ちょうど結婚を控えて住まいを探していたときだったので、すぐそれに飛びついた。お蔭《かげ》で考えていた以上に快適な新婚生活を、亮子は送れることになったのだった。

マンションは3LDKの間取りで、ふたりで住むには広すぎるほどだった。他の住人たちは、たいてい三人以上の家族である。亮子は廊下で隣人とすれ違うたびに、いつかは自分たちもと近い将来を思い描いていた。

マンションのそばには、比較的大きなスーパーマーケットがあった。品揃えが豊富で、たいていの物はそこで揃う。二日に一度はそのスーパーを利用している亮子は、今日もまた買い物に向かおうと家を出た。

エントランスの自動ドアをくぐったときだった。ちょうど外から入ってくる人がいた。少し横にどいて相手の顔を見ると、それは山村さん母子だった。

「あ、こんにちは」

山村さんはにこやかに亮子に微笑みかけた。亮子も挨拶《あいさつ》を返す。

「こんにちは」

すると母親に手を繋《つな》がれている娘も、たどたどしく「こんにちは」と言った。亮子は小さな娘にも、同じように挨拶をした。

「最近暑くなってきましたね」

山村さんは無難な時候の言葉を口にする。

「ほんと、そうですねぇ」

昨晩の激しいやり取りが頭に残っている亮子は、なんとなく戸惑いを覚えながらそう答えた。眼前の穏やかな容貌《ようぼう》の女性と、昨日の夜の怒声が結びつかないのだ。娘もまた、親に反抗など一度もしたことがないような、愛らしい顔をしている。亮子は曖昧に頭を下げて、山村さん母子とすれ違った。

　少し歩いてから、背後を振り返った。山村さんたちは仲良さそうに手を繋ぎながら、エレベーターに乗ろうとしていた。昨日の夜、大声を上げて怒鳴り合っていた気配など、微《み》塵《じん》も感じさせなかった。

　人が変わったような奥さんの怒鳴り声は、もしかしたら育児ノイローゼなのではないだろうかと、ふたりの後ろ姿を見送って亮子は考えた。子育ては他人が思う以上に大変で、ただ赤ちゃんがかわいいという気持ちだけではやっていけないことは承知している。亮子も子育てについてはそれなりに覚悟を固めているつもりだったが、やはり想像だけでは実際の苦労は推し量れないのだろう。そうとでも思わなければ、あの優しそうな奥さんがあんな大声を上げる不思議さを、どうしても納得できなかった。

　たぶんベランダにゴミを置いていたのも山村さんなのだろうと、亮子は考えている。昨日臭いを嗅《か》いだときには、だらしない人だなどと思ったが、考えてみればそれも同情の余地があるかもしれない。毎日毎日、部屋の中を汚し回る子供と一緒にいれば、多少の臭いは気にならなくなってしまうだろう。元気な子供に振り回され、疲れた挙げ句についうっかりゴミを捨て忘れるようなことだってあるかもしれない。ゴミをベランダに溜《た》めているからといって、それだけで悪い印象を持たれてしまうのはあまりにも気の毒というものだ。

亮子は反省しながら、スーパーへと足を向けた。

スーパーに入ってすぐ、日用雑貨のコーナーに気を惹《ひ》かれた。ふだんは通り過ぎる棚だが、ふと覗《のぞ》いてみる気になった。目当ては室内用の芳香剤だった。

これまで亮子は、匂いに敏感なたちだけにかえってこうした芳香剤は嫌いだった。人工的な香りにどうしても馴染《なじ》めなかったのだ。だが山村さん親子のことを考えているうちに、我が家の臭いが気になってきた。自分たちが気づかないだけで、他人にとっては変な臭いのする家かもしれないと思えたのだ。臭いばかりは、慣れてしまうとわからなくなる。妙な臭いの籠《こも》った家で暮らすよりは、芳香剤の人工的な匂いの方がましだった。亮子はラベンダーの香りの芳香剤を手に取り、それをスーパーの籠《かご》に入れた。

4

惟文は帰ってきても、家の中の匂いの変化に気づいていないようだった。何も言わず、ただいつものように食卓に着く。亮子は料理を並べながら、さりげなく尋ねた。

「ねえ、何かに気づかない？」

「あ？」夕刊を読んでいた惟文は、ぽかんとした表情で顔を上げた。「何？　何か変えたの」

「そうよ。わからない？」

惟文はリビングの中をぐるりと見回して、不思議そうに首を傾げた。

「わかんないな。何買ってきたの？」

「匂いよ。芳香剤。ラベンダーの香り、しない？」

「ああ」ようやくわかったように、惟文は少し小鼻を膨らませた。「言われてみれば、確かに匂いがするね。どうしたの、こういう芳香剤は嫌いなんじゃなかった？」

「うん、ちょっと気分転換にね。部屋の中に臭いが籠ってたかもしれないし」

「別に変な臭いはしなかったけどな」

惟文は新聞に目を戻し、興味なさそうに言う。

「ふだん暮らしている人間にはわからないのよ。お客さんには、変な臭いがする家だと思われるかもしれないでしょ」

「気にしすぎじゃないの？　まあ、おれは鼻炎で、臭いには鈍感だからさ。亮子の好きにしてくれていいけど」

「これから暑くなってくると、生ゴミとかの臭いがどうしてもしてくるでしょ。そういうの、いやなのよ、あたし」

亮子が鼻の頭に皺《しわ》を寄せて言うと、惟文は「確かにそれは不愉快だね」と気がなさそうに言った。

5

朝起きてキッチンに立ってみると、ふと生臭い臭いがした。眉《まゆ》を顰《ひそ》めて、小鼻を動かす。臭いはシンクの生ゴミ袋から発していた。

昨日の夕食の際に出た生ゴミが、ひと晩で臭いを発するようになっていたのだ。

昨年の十二月に結婚して以来、こんなことは初めてだった。週に三度のゴミの日にきちんと捨てていれば、生ゴミが臭うようなことはなかった。しかしそろそろ夏の気配が忍び寄り始め、ゴミの傷みも早くなってきたのだろう。ひと晩でこんな臭いを発するなら、今後は特に部屋の空気には気をつけなければならなかった。

生ゴミ袋の口を結んで、それをビニール袋に入れた。厳重に口を閉じ、ベランダに出す。キッチンにはたっぷりと消臭スプレーを撒《ま》いておいた。

もう一度鼻を動かして臭いを嗅いでみると、どうやら悪臭は退散したようだった。だが臭いに慣れてしまった自分の鼻では、もうひとつ信頼が置けない。亮子はまだ寝ている惟文を起こした。

「あ、ああ、もう時間か？」

惟文は寝ぼけた声で渋々目を開けた。

「まだ三十分くらいあるんだけど、ちょっと起きてくれない？」

「ええっ、まだ三十分もあったの？　なんなんだよ、いったい……」

寝起きが悪い惟文は、辛《つら》そうな声を発した。だが亮子はかまわず、腕を引っ張って引きずり起こした。

「ねえ、起きてよ。キッチンで変な臭いがしないかどうか、確認して欲しいのよ」

「臭い？　それがどうしたんだよ。そんなことどうだっていいじゃん」

目をしょぼしょぼさせながら、惟文は訴えた。亮子は惟文の腕を強く揺すった。

「起きてったら。今日はあなたのお母さんが来るのよ。忘れたの？」

惟文の母親が遊びに来るのは、昨日の夜に突然電話で言われたことだった。なんでも新潟の方に旅行に行っていたらしく、おみやげを買ってきてくれたと言う。それを持っていきたいから、夜は予定を入れないで空けておいてくれとのことだった。

惟文の母親が訪ねてくるのは、珍しくないことだった。結婚以来、最低月に一度はなんだかんだと理由をつけてやってくる。マザコン、というほど気持ち悪い付き合いの親子ではなかったが、やはりひとりっ子ということもあってなかなか離れがたいようだ。亮子はそのたびに神経を使い、母親が帰った後はいつもへとへとになるのだった。

「お母さんが来るのに、キッチンに変な臭いが籠ってたりしたら恥ずかしいでしょう。ねえ、確認してよ」

「うー、わかった、わかったよ」

惟文は観念して起き上がった。よろよろとした足取りでキッチンに向かい、顔を左右に向ける。半分閉じた目を亮子に向けると、寝ぼけた声で言った。

「なんにも臭わないよ」

「ホント？　寝ぼけてない？」

「臭わないよ。大丈夫」

「そう。それならよかった」

亮子は機嫌を直し、惟文に詫《わ》びを言ってキッチンから追い出した。惟文は大きなあくびをひとつして、玄関に新聞を取りに行った。

惟文の弁当を作り、朝食を食べさせてから送り出した。そして休むことなく、家の中の掃除を始める。なまじ広い家だけに、全体に掃除機をかけるだけでもひと苦労だった。

惟文の母親は、家の中が散らかっているからといって、それに嫌みを言うような人ではなかった。だが、だからといって部屋の隅に埃《ほこり》を溜めておいたまま、出迎えるわけにもいかない。嫁の立場としては、姑《しゅうと》を迎えるときは隅から隅まで綺麗《きれい》にしておきたかった。

窓の拭《ふ》き掃除までしたので、結局午前中いっぱいかかってしまった。適当に昼食を済ませ、午後一番に買い物に出た。帰ってきてひと休みし、料理の本を見ながら下拵《したごしら》えをしているうちに、あっという間に夕方になってしまった。

惟文の母親は、いつも六時頃にやってくる。惟文が残業もなく帰ってきても、帰宅時間はどうしても七時を過ぎるから、その間一時間はふたりきりでいなければならない。どんな話をして場を保《も》たせようかと考えるだけで、なにやら胃の辺りがきりきりと痛くなってくるような気がした。

時計の針が六時を指すと、まるでそれを待ちかまえていたかのように玄関のベルが鳴った。インターホンで応じると、案の定惟文の母親だった。「ちょっとお待ちください」と言って、慌てて玄関に向かった。

「ようこそ、いらっしゃいました」

ドアを開けて、にこやかに迎えた。

「すみませんねぇ。また、お邪魔しちゃって」

お喋《しゃべ》りな母親は、入ってくるなり大声でそう言った。すまないと言うわりに、態度には恐縮する様子などまったくない。息子の家を月に一度訪問することが、今は唯一の楽しみになっているのだ。亮子さえいいと言えば、毎日でもやってくるに違いない。遠慮などするわけがなかった。

「いいんですよ。さあ、どうぞ」

亮子はスリッパを揃え、上がるよう促した。母親はスリッパを履くと、勝手知ったる顔でリビングへと進んだ。

後からついていくと、母親はリビングの入り口で立ち止まった。そのまましばし、その場から動こうとしない。何があったのだろうかと顔を覗《のぞ》き込むと、母親は不愉快そうに眉を顰めていた。

「あのう、どうしました」

おずおずと声をかけると、母親は亮子を振り向いた。

「亮子さん。この部屋、なんか匂いません?」

「臭い、ですか?」

どきりとした。今朝あれほど消臭剤を撒いたのに、やはり臭いは残っていたのか。そう考えたとたん、頬があっと熱くなった。

「これって、芳香剤の匂いね。そうでしょ」

母親は匂いの元凶を探すように、部屋の中をぐるりと見回した。亮子は小さく、「ああ」と安堵《あんど》の声を上げた。生ゴミの臭いが残っていたわけではないのだ。芳香剤のラベンダーの香りのことを言っていたのか……。

「こういう芳香剤の匂いって、どぎつくていやらしいのよね。この前来たときにはなかったでしょ。いつから使ってるの?」

母親はようやく進み出て、ダイニングセットの椅子を引いた。荷物を床に置いて、椅子に腰を下ろす。亮子は芳香剤に近寄って、それを手に取った。

「すみません。ついこの前から使い始めたんです。お母さんが嫌いとは知りませんでした」

「ごめんなさいね。あたしもあなたたちの家のことに口を出すつもりはないんだけど、この匂いだけはいやなのよ。どうしてもっといい匂いの芳香剤が作れないのかしらね」

「すみません。片づけます」

軽く頭を下げて、踵《きびす》を返した。取りあえず、廊下の物置にしまっておこうと考えたのだ。物置の扉を開けて、芳香剤を棚に置こうとした。すると目の前に持ち上げた芳香剤から、つんと鼻に沁《し》みる匂いが漂った。香りをまともに吸い込んでしまう。強烈な刺激に、亮子は顔を背けた。

その一瞬後だった。突然に胃の辺りに不快感が生じた。苦い物を飲み込んだように、胃から食道にかけてが収縮する。うっ、と思ったときには激しい嘔吐《おうと》感が込み上げてきた。慌てて洗面所に飛び込んだ。洗面台に顔を突っ込み、口を開く。臭い吐瀉《としゃ》物が、洗面台いっぱいに広がった。

「どうしたの！」

ただならぬ亮子の気配に、母親が驚いて立ち上がったようだった。声をかけられたのはわかっていたが、返事をする余裕がない。苦しさに涙を流しながら、亮子は何度も何度も戻した。

「大丈夫？」

背後に立った母親が、背中をさすってくれた。辛うじて頷《うなず》いたが、体が自分の意思を裏切っていた。とても大丈夫だなどとは言えない状況で、亮子は顔も上げられなかった。

「どうしたの。具合悪かったの？」

背中をさすりながら、母親が尋ねてくる。ようやく嘔吐感が治まってきた亮子は、切れ切れに答えた。

「いいえ、そういうわけじゃないんですけど……。芳香剤の匂いを嗅《か》いだら、急に気持ち悪くなっちゃって……」

「あら、そう」

亮子が答えると、母親は驚くほどあっさりと応じた。そして続けて、思いもかけない指摘をした。

「もしかしたら、亮子さん、おめでたかしら」

「えっ」

反射的に顔を上げた。自分が妊娠しているというのか。確かにここしばらく生理が来ていなかったが、妊娠の自覚などまったくなかった。そんなに簡単に、命がお腹の中に宿るさも忘れ、胸にじわじわと喜びが込み上げてくるのを感じた。

母親は嬉《うれ》しそうに顔を綻《ほころ》ばせている。その笑顔を見ているうちに、亮子は先ほどの苦し
「そうよ。つわりが来たのね、きっと」

「妊娠、ですか……」

ものなのか……。

6

帰ってきた惟文は、妊娠したかもしれないと告げられると、びっくりしたように「えっ」と声を上げてそのまま絶句した。

「えっ、じゃないでしょう。もっと嬉しそうな顔をしたらどうなの」

母親が笑いながら、そんな惟文を窘《たしな》める。言われてようやく惟文は、ぎこちなく笑みを浮かべた。

「いや、ちょっとびっくりしたんだよ。突然言われても、心構えができてなかったから」

「あたしもびっくりしたわ。本当にこういうことは突然なのね」

亮子が答えると、母親がすかさず言葉を被《かぶ》せた。

「子供を産むのは早い方がいいのよ。孫を抱かせてくれるのが、何よりの親孝行なんだからね」

「あ……ああ」

惟文は曖昧《あいまい》に頷いた。亮子と目を合わせると、母親の浮かれように苦笑するような表情を見せた。

その後は結局、出産から育児に関する蘊蓄《うんちく》を母親から一方的に聞かされることになった。惟文は興味なさそうに、途中で席を立ってテレビを見ていた。それでもかまわず母親は、亮子に長々とレクチャーを垂れた。今日ばかりは亮子も、母親の話に耳を傾けた。

二時間ほど喋って、母親が帰った後のことだった。

「なあ、おい、本当に妊娠してるのか」

惟文は不安げな顔を見せた。亮子はその口振りに、少しカチンときた。

「どういうこと？　あんまり嬉しそうじゃないわね」

「いや、そういうわけじゃないんだけどさ。ただ気持ち悪くなって戻したってだけだろ。もしかしたら、妊娠なんかじゃなくって病気かもしれないじゃないか」

「じゃあ、明日にでもさっそく病院に行ってみるわ」

「病院もいいけどさ。もう少し様子を見ないか」

「どうして」

亮子は問い返したが、惟文の気持ちは手に取るようにわかった。要は子供を持つという現実から目を逸《そ》らせていたいのだ。心構えができていないという先ほどの惟文の言葉は、本音そのものだろう。できることなら、このままずるずるとふたりきりの生活を続けていたかったに違いないのだ。

「いやぁ、その、お前だって病院で診察してもらうのは恥ずかしいだろ。だからもっと確実に妊娠してるとわかってからの方が……」

自分でも説得力がないと承知しているせいだろう、惟文の言葉は歯切れが悪かった。亮子は真顔になって、惟文の目を覗き込んだ。

「子供が欲しくないの？」

「そうじゃないけどさ。ただ、少し早すぎるよ……」

困ったように惟文は言う。確かにまだ若い惟文にとっては、子供を持つという現実は直視しがたいだろう。そう考えると、あまり追いつめるのはかわいそうな気がしてきた。

「わかったわ。もう少し様子を見てみる。そうだ、妊娠検査薬でも買ってこようかしら」

「そうだね。それがいいかもしれない」

惟文はほっとしたようだったが、それを面《おもて》に出さないようにしていた。そんな夫を亮子は、複雑な思いで見つめた。

翌日。惟文を会社に送り出し、ひと息ついてから買い物に出かけた。今日の行く先は薬局である。亮子は早く妊娠の事実を確認したくて、うずうずする思いだった。

玄関の鍵《かぎ》をかけて、いつもより早足でエレベーターに向かった。ケージは一階で停まっている。ボタンを押して、ケージが上がってくるのを待った。

「おはようございます」

ぼんやりとエレベーターの階数表示を見ていると、背後から声をかけられた。振り向くと、そこには山村さんの奥さんが立っていた。今日は娘を連れていないで、よそ行きの服装をしている。いつもだったら幼稚園に連れていく時間のはずだけどな、と亮子はふと訝《いぶか》しく思った。

「おはようございます」

内心の疑問を押し隠して、挨拶《あいさつ》を返した。ちょうどそこにエレベーターがやってきたので、ふたりで乗り込んだ。

ドアが閉まった瞬間に、鼻柱を殴られたような衝撃を感じた。強烈な匂いに圧倒されたのだ。どぎついまでの香水の匂い。山村さんがつけている香水だった。

「お出かけですか」

胸のむかつきを抑えて、無難に尋ねた。

「ええ、ちょっと」

山村さんは愛想よく笑って、そう応じる。かわいらしい、虫も殺さぬ笑みだった。

亮子はそれ以上やり取りを続けられなかった。またむかむかとした吐き気が込み上げてきている。早く一階に着いてくれないかと、そればかりを考えて階数表示を見上げていた。

「では」

ようやく一階に到着すると、山村さんは軽く頭を下げて亮子の横を通っていった。亮子はケージから出て、しばし新鮮な空気を貪《むさぼ》るように吸った。妊娠のせいか、最近特に匂いに敏感になっている。これまでは他人の香水に吐き気を覚えたことなどなかったが、今日はほんの三十秒ほどが耐えがたかった。妊娠とは、思っていた以上に辛《つら》いものかもしれないと、改めて覚悟を固めた。

——薬局で買ってきた妊娠検査薬では、はっきりとした結果が出なかった。おしっこをかけると色がピンクに変わると書いてあるが、どの程度の濃い色になるのかはわからない。変わったといえば変わっているが、とても鮮やかな変化とは言えなかった。亮子はその曖昧な結果に腹立ちを覚えた。

7

——まただ。

ベランダに出て、すぐに気づいた。また隣から悪臭がしているのだ。

今回の臭いの強さは、この前の比ではなかった。ベランダに出たとたんに鼻をつまみたくなるほど、その臭いは強烈だった。生ものが腐りかけている臭い。それも野菜クズなどではなく、肉の腐る過程で生じる腐臭だった。

——山村さんだわ。

亮子は声に出さずに考えた。この前は臭いの原因がどこか判然としなかったが、これほど強いといやでも悪臭の元に気づいてしまう。ベランダを右の方に寄るほど、腐臭は激しくなるのだ。間違いなく、山村家が悪臭の源だった。

「どうして決まった日にゴミが捨てられないのかしら」

小声ではあったが、我慢がならず呟《つぶや》いた。この臭いは一度捨てるのを忘れた程度では発しないはずだ。最低四、五日程度は置いておかないと、ここまで臭うことはない。一回捨て忘れるならともかく、これほど臭くなるまで放っておくのはあまりにもだらしがなさ過ぎないだろうか。同じ主婦として、亮子は非難せずにいられなかった。

口で呼吸をして、手早く洗濯物を干した。部屋に戻ったときには、思わず深呼吸をしてしまった。だが一度気になると、悪臭は記憶に染みついてしまったように鼻の奥に残っていた。部屋の中にまで悪臭が忍び込んできていることに、亮子は気づいてしまった。

いらいらして、窓を閉め切った。そしてクーラーのリモコンを手に取り、作動させる。

冷え性の亮子はクーラーの冷気が苦手だったが、この際そんなことは言っていられなかった。悪臭を部屋の中から完全に閉め出さないことには、これ以上一秒たりとも落ち着いた生活などできそうになかった。

なかなか動き出さないクーラーを待つことなく、消臭剤を部屋中に撒《ま》き散らした。すると、先ほど窓を開けたときに紛れ込んだのか、小蝿が飛んでいるのに気づいた。山村家の悪臭に吸い寄せられて、こちらにも入り込んでしまったのだろう。亮子はその小蝿が臭いの元凶のような気がして、ヒステリックに追い回した。ようやく壁に叩《たた》きつけるまで、十五分ほどかかってしまった。蝿の死骸《しがい》をティッシュで取ってゴミ箱に捨てると、自分が激しく疲労していることに気づいた。何をやっているのだろうと、うんざりする気持ちになった。

その日の夜。亮子は惟文に日中のことを愚痴らずにいられなかった。

「お隣さんて、ホントにだらしないのよね」

「隣って、どっち？」

惟文は夕刊を読みながら、気がなさそうに相槌《あいづち》を打つ。

「山村さんよ。どうもゴミを捨てないで、ベランダに溜《た》めているようなの」

「ふーん、それで？」

「それで、じゃないわよ。臭くてしょうがないんだから」

「ゴミの臭いか？」

「そうよ。決まってるでしょ」上の空の惟文に、亮子は苛立《いらだ》って語調を強めた。「すごく臭いんだから」

「ひと言言えば？」

「言えたらあなたに愚痴なんかこぼさないわよ。言えるものなら言ってやりたいわ」

「そんなに臭いのか」

「臭いなんてもんじゃないんだから。あなたもベランダに出てみればわかるわ。ほら、ちょっと出てみてよ」

「えーっ、めんどくさいな」

惟文は子供のように難色を示したが、亮子が強引にベランダに向かわせた。渋々立ち上がった惟文が窓を開けると、とたんに吐き気を誘う悪臭が飛び込んでくる。思わず亮子は口許《くちもと》を押さえた。

「ほら、ひどいでしょう。閉めてよ」

「そうかな。言われてみれば臭いかもしれないけど」

「ええっ？」亮子は夫の鈍感な物言いに、心底仰天した。「この臭いがわからないの？あなた、本当に鼻が悪いのね」

「いやまあ、そうなんだけどさ。でもお前も気にしすぎじゃないの」

「気にしすぎなんかじゃないわよ。すごい臭いんだから。臭いに敏感な人間には、とても耐えられないわ」

「そんなこと言ったって、お隣さんはあんまり臭いと思わないからそのまま放ってあるんだろう。お前の方がうるさいことを言い過ぎてるんだよ」

「そんなことないわよ。こんなひどい臭いをさせておいて……」

「ああ、そういえば」惟文はこれ以上愚痴を聞きたくないのか、途中で亮子の言葉を遮った。「最近お隣の親子喧嘩《げんか》が聞こえてこないな」

「あら、そうね」

言われて初めて気づいた。このところ臭いのことや妊娠騒ぎなどに紛れて、毎晩恒例の大声が聞こえてきていないのも忘れていた。静かにしてくれるのはいいが、その次には悪臭とは、山村さんもお騒がせの隣人だ。身なりを綺麗《きれい》にしてどこかに出かける暇があるのなら、せめてゴミくらいきちんと捨てて欲しいものだ。

「娘さんの声がぜんぜんしないもんな。親戚《しんせき》の家にでも行ってるのかな」

「……」

惟文の言葉を聞いたとたん、亮子の胸になにやらいやな想像が芽生えた。そんな馬鹿なと笑い飛ばしたかったが、時間が経った今でも忘れられない悪臭の記憶がそれを許さなかった。

「子供といえばさ、妊娠検査薬、試してみた？」

惟文は唐突に話題を変えて尋ねてきた。亮子は我に返って、慌てて答えた。

「あ、うん。試したけど、なんだかよくわかんない。はっきりしないんだもん。やっぱりお医者さんに行かないと駄目みたいよ」

「あ、そう」

惟文は唇をへの字にすると、それっきりこの話題を避けるように新聞に目を戻してしまった。亮子の胸の底には、もやもやとした疑惑が残った。

8

隣の子供の声が聞こえない。一度その事実に気づくと、四六時中そのことが頭から離れなかった。

山村さんの娘は、午前中は幼稚園に通っている。午後二時頃帰ってきて、それからしばらくは近所の公園で遊んだり、家の中で母親と一緒にいたりしているようだ。亮子がそんなことを知っているのも、隣にいるからにはなんとなく気配で察することができたからなのだが、ふと気づいてみればここ数日子供の声を聞いていなかった。まだ夏休みには早いはずである。惟文の言うように、親戚の家にでも泊まりに行っているのか、あるいは病気で寝込んでいるのか。

ベランダの臭いは、日増しに強くなっていくような気がした。鼻が曲がるという表現があるが、それは比喩《ひゆ》などではなく本当にそんな現象が起こるのではないかと思わせるほどの強烈な悪臭だ。おまけに最近では、さすがに山村さん自身も臭いに気づいたらしく、それを芳香剤でごまかそうとしている。もともとの腐臭と人工的な芳香剤の香りがない交ぜになって、なんとも言えぬいやな臭いになっていた。

どうしてゴミの日に捨てないのだろうか。亮子は考えずにいられなかった。山村さんの奥さんが、ただ無精なだけだということなのか。しかしそれにしても、芳香剤を撒くくらいなのだから自分でも臭いと思っているのだろう。ならばいつまでも溜めておかずに、ゴミの日に捨てればよいではないか。夜が遅い仕事をしているわけでもなし、旦那《だんな》さんが出かけるときにでも捨ててもらえば済む話だ。どうしてそれができないのか。

亮子の頭の中には、子供の声が聞こえないという事実と、とんでもない悪臭がひとつのこととして結びついていた。それは突拍子もない想像だったが、考えれば考えるほど真実なのではないかという気がしてくる。日中は臭いが入り込んでこないようにずっとクーラーをかけているのだが、それでも意識は常に隣家の方に向いていた。山村家の中を想像すると、気持ちが落ち着かなくなりいても立ってもいられなくなった。

夜になって、亮子はついに自分ひとりの胸に納めておくことができなくなった。意を決して、惟文にぽつりと漏らした。

「ねえ、お隣の娘さん、どこに行ったのかしら」

「あン」漬け物を口の中に放り込もうとしていた惟文は、動きを止めて亮子を見やった。

「どこって？」

「ほら、最近声が聞こえないじゃない。どうしたのかなと思って」

「親戚の家にでも行ったんじゃないの。そうでなくったって、最近おとなしくなったってだけかもしれないし。喧嘩する声が聞こえないからって、どこかに行っちゃったわけでもないだろう」

「どこにも行ってないかもしれないわよ。でも、もう喋《しゃべ》れない状態なのかもしれない」

「何、それ？　喋れない状態？」

「そう」亮子は真顔でこくりと頷《うなず》いた。「もしかして、もう死んでるのかもしれない」

一瞬惟文はまじまじと亮子の顔を見つめると、次の瞬間ご飯粒を吐き飛ばして爆笑した。

「な、何言ってんだよ。真剣に何を言うかと思ったら。声が聞こえないだけで、どうして死ななくちゃならないんだ」

「考えたのよ。ベランダの悪臭、今日もするのよ。あんなに臭うのに、どうして捨てないのかしら。自分たちだって臭いはずなのに、おかしいと思わない？」

「おいおい、臭いの話がどう関係あるんだよ」

「関係あるのよ。あの臭いは、死体の臭いなんじゃないかしら」

「死体の臭い？」惟文は、今度は呆《あき》れたように眉《まゆ》を吊《つ》り上げた。「お前も想像力が逞《たくま》しいなぁ」

「冗談なんかじゃないのよ。真剣なんだから。きっとお隣の奥さんは、娘を強く折檻《せっかん》したかなんかして、うっかり殺してしまったのよ。でもそれを警察に届けず、ベランダのゴミバケツにでも入れてるから、それが腐って臭ってきたんだわ。だからゴミの日にも捨てられないのよ」

「お前、熱でもあるんじゃないか」

惟文は箸《はし》を置いて、亮子の額に手を伸ばしてくる。亮子は不機嫌にその手を払いのけた。

「熱なんかないわよ。ねえ、どうしたらいいのかしら。やっぱり警察に届けるべき？」

「いたずら電話するなって怒られるぞ。考えてもみろよ。お隣さんはあんな優しそうな人じゃないか。自分の子供を殺したりするわけないだろ」

「優しそうでも、怒るときはものすごいじゃない。あたしたちは山村さんの上辺しか知らないのよ。いつもの剣幕だったら、娘を殺してしまうことだってあり得なくはないわ」

「ちょっと、ノイローゼ気味かな、お前。疲れてるんだろ」

「真剣に聞いてくれないの？　本気で心配してるんだから」

「心配なのはこっちだよ。つまんないこと考えてないで、もっと楽しいことを想像したら?」

「楽しいことって?」

「いや、そりゃあさ。子供ができたかもしれないんだろ。だからそういうこととか……」

「そうそう、そのことだけど、結局妊娠検査薬じゃあよくわからなかったでしょ。だからやっぱり、明日にでも病院に行ってみようと思うのよ」

「あ、そう」惟文はもう反対しようとはしなかった。「でも、この辺には産婦人科ってないよな」

「探しておいたから大丈夫。明日電車で行ってみるわ」

「そうか」

惟文は短く応じて、それきり言葉を続けようとしなかった。すべての話が中途半端に終わってしまい、亮子は落ち着かない気分で食事を続けた。

9

電車に乗ったとたんに、鼻柱を殴られたような衝撃を受けた。車両の中がこれほど様々な臭いに満ちているとは、これまでまったく気づかずにいた。女性の化粧品や男性の整髪料、汗臭い臭いや埃《ほこり》の臭い、それらが渾然《こんぜん》となって得体の知れない臭気を形成している。亮子は電車に乗ったことを激しく後悔した。

間の悪いことに、車両にはクーラーが入っていた。そのために、窓を開けて新鮮な空気を取り込むこともできない。亮子はハンカチを取り出して口許《くちもと》を覆い、なるべく鼻で呼吸をしないようにした。次の駅に着くまでの数分が、異様に長く感じられた。

ドアが開いたときには、酸欠状態時に酸素ボンベを与えられたような心地だった。よっぽどここで降りて休もうかと思ったが、目指す駅は次なのだし、ひと駅ごとに下車していてはあまりに面倒すぎる。なんとか我慢して、もうひと駅乗り続けることにした。

また長い数分を耐えた。胸の辺りがむかむかし、吐き気を覚え始めている。口の中に酸っぱいものが込み上げてきて、亮子は涙を滲《にじ》ませながらなんとか戻すのをこらえた。

どうして他の乗客たちは、こんな臭いに平然としていられるのだろう。あまりの臭さに涙まで流しているような人は、どうやら亮子ひとりのようだ。世の中の人はそんなに臭いに鈍感だったのか。それとも亮子が特別なのか。

考えてみれば、亮子もこれまでは普通に電車を利用していた。車両の中が臭いなどと感じたことは一度もない。ということは、ここ最近亮子が臭いに鋭敏になったのだろうか。それは妊娠による体調の変化ということか。

あれこれと考えて気を紛らわしているうちに、ようやく電車は目指す駅に着いた。飛び出すように車両を降り、口許を押さえたまま階段を駆け上る。トイレに飛び込み、洗面台にそのまま吐いた。胃の内容物が逆流する苦しさに、亮子は泣いた。

10

帰りの電車でも、死ぬほどの苦痛を味わった。往路のときと同じように、駅に着いたとたんトイレに駆け込んで、戻した。だがすでに一度吐いた後だけに、胃の内容物はほとんどなかった。黄色い胃液が出てくるだけで、後はひたすら苦しい思いを味わった。これがつわりなのか、それとも臭いのせいなのか、亮子には判然としなかった。

産婦人科医の見立てでは、やはり亮子は妊娠しているということだった。亮子はその診断結果を聞いたとき、飛び上がりたいほどの喜びと、今後生じるであろう面倒への憂鬱《ゆううつ》を、同時に味わった。妊娠の事実がはっきりしたからには、惟文の気持ちをなんとか切り替えさせなければならない。夫の全面的な協力がなければ、妊娠などただ辛《つら》いだけだからだ。

ほとんど半死半生で、自宅に帰り着いた。するとドアの新聞受けに、なにやら紙が挟まっている。取り出してみると、それは宅配便の不在通知だった。メモには汚い字で、荷物は山村さんに預けてあると書かれていた。

鍵《かぎ》を開けて家の中に入り、籠《こも》っていた空気の臭いに眉を顰《ひそ》めながら、洗面所に向かった。口の中には、戻したために不快な味が残っている。水で漱《すす》いでから、ついでに歯磨きもした。口許に手を当て、口臭がしないことを確認してから、山村家を訪ねた。

インターホンを押すと、スピーカーから奥さんのかわいらしい声が聞こえた。亮子は自分の立てた推理を思い出し、ふと背筋に寒いものを覚えた。どんな顔をして奥さんと相対したらよいものかわからず、このまま踵《きびす》を返して逃げ出したくなった。

だがそんな暇はなく、すぐにドアが内側から開いた。山村さんはこちらを見て、にこりと笑う。亮子も辛うじて愛想笑いを浮かべたが、ドアが開いた瞬間に漂ってきた臭いに、その笑みも中途半端なものとなった。

臭いのだ。生ものの腐る、極めて不快な臭気。部屋の中には、耐えがたい悪臭が充満していた。

どうしてこんな臭いの中で、普通に生活していられるのだろう。どうして眼前の女性は、こんなかわいらしい笑みを浮かべていられるのだろう。亮子の目には、山村さんの微笑が世にも恐ろしいものに映った。

「す、すみませんでした」

預かってもらっていた荷物を受け取り、亮子はぎこちなく礼を言った。

「いえいえ、これくらいはなんでもないですよ。うちだって預かっていただくんだし」

山村さんの口調は、ふだんと変わらず優しい。だが亮子は、これまでのように自然に言葉を返すことができなかった。

ふと気づいてみれば、やはり娘の気配はしなかった。病気で寝込んでいるとしても、こうして玄関先に立てばなんらかの気配がするはずである。それなのに何も感じられないのは、やはり娘は存在していないとしか考えられなかった。

挨拶《あいさつ》もそこそこに、自分の部屋にとって返した。先ほどは臭いと思った部屋の中の臭いも、天国の芳香のように感じられる。亮子は後ろ手にドアの鍵を閉めると、その場にしゃがみ込んでがたがたと震えた。やっぱり隣の娘さんは死んでいるのだ——。亮子は強く、そう確信した。

11

その日の晩に、妊娠がはっきりしたという報告も後回しにして、惟文に昼間のことを話した。絶対に娘さんは殺されている。亮子は自分の確信を惟文に訴えたが、夫は昨日と同様笑い飛ばすだけだった。何度繰り返しても、まともに受け取ってくれない。終《しま》いに亮子は腹が立ってきて、ヒステリックに声を荒立てた。馬鹿、わからず屋、と口汚く惟文を罵《ののし》った。売り言葉に買い言葉で、惟文も怒鳴り散らし、空気は険悪になった。こんなことは結婚以来初めてのことだった。亮子は喧嘩《けんか》してしまったことが悲しく、キッチンでひとり泣いた。

それから数日の間、なかなか仲直りの機会はやってこなかった。亮子は自分が突拍子もない推理を撤回しない限り、ふたりの仲は修復されないとわかっていたが、それでも自説を枉《ま》げるつもりはなかった。石頭の夫にうんざりし、妊娠を告げるきっかけを見つけられずにいた。

そんなある日のことだった。惟文は会社から帰ってくるなり、勝ち誇ったように亮子に言った。

「おい、想像力の逞《たくま》しい奥さん。おれが今、そこで誰に会ったと思う？」

惟文は妙に嬉《うれ》しそうだった。亮子は怪訝《けげん》な思いでその顔を見返した。

「誰よ？」

「山村さんの奥さんだよ。それと娘さん」

「えっ？」

亮子は一瞬、自分が担がれているのかと考えた。だが惟文は、重ねてこう言った。

「娘さん、ぴんぴんしてたよ。やっぱり奥さんの実家にしばらく泊まってたんだって。また今日から、いつもの親子喧嘩を聞けるかもしれないぜ」

「そう……だったの」

「そうさ。おれが言ったとおり、亮子の考え過ぎだったろ」

惟文は得意げだったが、安堵《あんど》の思いに全身を満たされた亮子はそんな夫の表情も悔しくなかった。真相がわかってみれば、自分の馬鹿馬鹿しい想像を笑い飛ばしたくなった。

亮子はくすくす笑ってから、「ごめんなさいね」と詫《わ》びた。続けて、さりげなく言った。

「あたしね、やっぱり妊娠してたわよ、パパ」

「本当かよ！」

その瞬間、惟文は間違いなく顔を輝かせた。亮子はそれを見て、『ああ、早く打ち明ければよかった』と自分の頑迷さを悔いた。なにやら愉快になってきて、ふたりで顔を見合わせるとまたくすくす笑った。

その日の夕食は久しぶりに楽しいものになった。隣の親子喧嘩は聞こえなかったが、そんなことはもうどうでもよかった。惟文と交わす会話のひと言ひと言が、新婚直後に戻ったように楽しくてならなかった。

生まれてくる子供は男の子か女の子かという話題でひとしきり盛り上がった後、惟文がふと思い出したようにひと言漏らした。

「そういえば、最近隣の旦那《だんな》さん見かけないな。どうしたんだろう」

亮子はそれを聞いた瞬間、ベランダに漂う悪臭を思い出した。なにやらいやな気分になった。

見られる

mirareru

1

未奈子《みなこ》は留守番電話が嫌いだった。

どことなく高圧的で、しかも冷たい感じのする一方的なメッセージがいやでならなかった。留守にしているから用件を言えなどと、さも当然のように要求してくるのが好きになれない。たとえ本人の声でメッセージが聞こえてこようと、相手はたかが機械なのだ。ただの機械にどうしてそんな命令をされなければならないのか。

知り合いの中には、精一杯工夫しましたとばかりにユーモラスな演出を凝らしている者もいるが、未奈子はそうしたメッセージもかえって嫌いだった。自己顕示欲丸出しのようで、聞いている方が恥ずかしくなる。そういう相手とはそもそも、面と向かって話をしても話題が嚙《か》み合うことはないので、電話をかける機会も少ないのが幸いだったが。

始末に悪いのは、もともと電話機に入っている無機的な女性の声のメッセージだ。名前を知られたくないひとり暮らしの女性などにはありがたがられているらしく、たいていの友人は自分の肉声ではなくそれをセットしている。未奈子は人間味のないその声が聞こえてきたとたんに、受話器を持つ手が汗ばむほど緊張してしまうのだ。自分に話しかけている相手が人間でないとはっきり意識すると、どうしたことかこちらの口調まで強張《こわば》ってくる。自然に言葉がぶっきらぼうになり、用件だけを乱暴に吹き込んで電話を切ることになるので、後でその相手から「怖い」と文句を言われてしまうほどだった。

留守番電話だからといって、ことさらに構える必要などないのは充分にわかっている。それでも言葉が強張ってしまうのは、ほとんど生理的な反応だから自分でもどうしようもない。結局相手が留守だとわかると無言で切ることが多くなり、先方にも不愉快な思いをさせてしまうことになるのだった。

だから未奈子は、携帯電話が普及し始めたときには、小躍りしたいほど喜んだものだった。携帯電話に直接かける限り、留守番電話のメッセージを聞いたときの不快な思いを味わわずに済む。繋《つな》がらないことも多かったが、留守番電話を無言で切るときの後ろめたさに比べれば、その程度は何ほどのことでもなかった。

当然のことながら、未奈子自身もすぐに携帯電話を購入した。それまでは必要に迫られて渋々と留守番電話を使っていたが、携帯電話を持ち歩くようになってからそれも不要になった。自分がいやなことを人に強いるのは、心が痛む。未奈子はあらゆる知人に携帯電話の番号を告げ、自宅に繋がらないときはこちらに連絡してくれと頼んで回った。

いらなくなった留守番電話は、同棲《どうせい》していた彼氏と別れることになった友人に、ただでプレゼントした。代わりに普通の電話機をくれるというので、未奈子にはそれで充分だったのだ。自分の家から不愉快な機械を追い出したことで、未奈子は大いに解放された気分だった。この調子で世の中から留守番電話など一掃されてしまえばいいのにと、本気で望んだ。

未奈子が留守番電話を手放したことを後悔するのは、そのすぐ後のことだった。

2

「うわ、相変わらず汚いなぁ」

部屋に入ってくるなり康平《こうへい》は、おどけた調子でそう言った。大袈裟《おおげさ》な身振りで驚きを示し、玄関先で目を見開いている。そんな態度はいつものことなので、未奈子も今や完全に開き直っていた。

「これでも片づけた方なんだけどね。あたしの努力だけは理解してよ」

口を尖《とが》らせて甘えると、康平は「わかった、わかった」と手を振って靴を脱いだ。

「今日はけっこう片づいてる方だと思うんだけどなぁ」

未奈子は部屋の中を見回し、康平の不本意な言葉に抵抗した。確かに机の上の灰皿には吸い殻が溜《た》まっているし、ゴミ箱も紙屑《かみくず》でいっぱいだ。だが脱ぎ散らかした服などはないし、山のようにある雑誌も一応部屋の隅に積み上げてある。乱雑な部屋を康平に見せるのは毎度のことだが、未奈子とてそれを恥ずかしく思う気持ちがまったくないわけではないのだった。

「いや、まあ、他人の部屋だからとやかく言うつもりはないんだけどさ」

康平はいつものようにニコニコ笑いながら言った。康平の怒った顔を、未奈子はこれまで一度として見たことがない。

「せめて掃除機くらいかけないと、綺麗《きれい》にしているとは言えないんじゃない？」

康平は視線で床を示した。見ると、長い髪の毛が無数に絨毯《じゅうたん》の上に散乱している。まだガムテープを使って拾い集めるほどではないと思っていたのだが、康平の指摘どおり掃除していないことには変わりない。

「いいじゃん、別に。髪の毛くらい。髪の毛が落ちてるくらいじゃ、死なないでしょ」

「ま、そうだね」

言い張ると、康平は簡単に納得した。刺々《とげとげ》しさのかけらもないような穏和な性格が、康平の最大の美点だと未奈子は考えている。掃除をしろとうるさく言うような男とは、とうてい結婚できない自分なのだ。康平のような婚約者は、未奈子にとっては願ってもない相手だった。

「ところでさ、留守電なくなって、どう？　不便じゃない？」

康平は椅子に腰かけると、部屋の隅で荷物に埋もれそうになっている電話機を指差した。留守番電話を他人にあげてしまうことに、康平はやんわりとだが反対していたのだ。

「ぜんぜん」それに対して未奈子は、軽く首を左右に振って答えた。「不便なことなんてないよ。むしろ前よりもすぐに連絡がついて、けっこう評判いいし。康平もそう思うでしょ？」

「まあね、ぼくは困らないよ。でもさ、女の子のひとり暮らしだと、いたずら電話とかかかってくるって言うじゃない。そういうの、ない？」

「心配性ねぇ。そんな電話、これまで一本も受けたことないよ。もしかかってきたって、『ふざけるな、変態！』って怒鳴ってやるから、大丈夫」

康平は未奈子の言葉に、「はっはっは」と声を立てて笑った。

「未奈ちゃんが平気ならいいんだけどね。でもさ、ぼくたちが結婚したら、留守電はどうするの？　やっぱ、使っちゃ駄目なの？」

「あたしへの用件は携帯にかけてもらうようにすればいいじゃない」

「あ、なるほどね」

康平は「頭いいなぁ」と続けて、また笑い声を上げた。笑っている顔が地顔のような康平と接していると、未奈子も自然と楽しい気分になってくる。結婚したならきっと明るい新婚生活になるだろうなと、未奈子は一年後の生活を頭の中で思い描いた。

その夜のことだった。

康平と一緒にベッドに入り、いつものようにいいムードになりかけたときに、唐突に電話が鳴った。気分を中断させられた未奈子は、閉じていた目を開いて、「もう」と嘆息した。誰がかけてきたのか知らないが、タイミングが悪いにもほどがある。時計を見ると、時刻は十一時を回っていた。遅すぎるという時間ではないが、こちらは婚約中の身なのだから少しは気を使って欲しいものだ。未奈子はいささか小腹が立ったので、ベッドに横たわったまままなかなか動き出す気になれなかった。

「電話、鳴ってるよ」

康平が気にして、小声でそう言った。未奈子はようやく諦《あきら》め、「はいはい」と言いながら身を起こした。

「はい」

受話器を取り上げ、無愛想に応じる。親しい相手だったら、康平が来ていることを告げてすぐにでも切るつもりだった。

「あんた、寝てたのか」

くぐもった男の声が聞こえてきた。口の中に何かを入れているようなはっきりしない喋《しゃべ》り方なので、言葉が聞き取りにくい。未奈子は眉《まゆ》を顰《ひそ》めて、「は?」と問い返した。

「誰? なんの用ですか」

男の知人の顔を思い出してみたが、聞こえてくる声の主とは合致しなかった。そもそもこんな時間に電話してくるような男友達などいない。これはいたずら電話ではなかろうかと、とっさに考えた。

「寝るんなら、早く寝た方がいいぞ。寝坊すると、また会社に遅刻する」

男は押し殺した低い声で、そのようなことを口にした。男の押しつけがましい言葉に、未奈子は少し不気味さを覚えた。

「誰よ。なんでそんなこと言うの?」

「今月は何度目の遅刻だ。いい加減にするんだな」

「誰? 課長?」

遅刻を云々《うんぬん》されて、反射的に上司の顔を思い浮かべた。だが課長はこんな喋り方はしない。第一、部下の女の子の家に夜中に電話をしてくるような非常識な人ではないのだ。未奈子は自分の言葉が的外れなことをすぐに悟った。

「けっ」

喉《のど》を鳴らす音がしたかと思うと、それきり電話は切れた。未奈子は頭に来て、しばらく受話器を睨《にら》みつけてから架台に戻した。

「誰なの、こんな時間に？」

康平がベッドの上から心配げに尋ねてくる。未奈子は首を捻《ひね》って、「さあ」と言った。

「わからない。いたずらみたい」

「いたずら？　いたずら電話なの？」

「たぶんね。でも気にしなくていいよ。エッチなこと言われたわけじゃないから」

「なんて言われたの？」

「早く寝ろってさ。大きなお世話よね」

言うと同時に康平の首筋に絡みついた。康平はベッドに倒れ込みながら、「そうだよね」と同意した。

3

翌朝目を覚ましたときには、すでに康平の姿は見えなかった。勤務地の遠い康平は、六時半には未奈子のマンションを発《た》たなければならない。付き合い始めた当初はそれに合わせて起きていた未奈子だったが、ただでさえ寝起きの悪い身に六時半起きは苦行に等しかった。いつの間にやらベッドの中から康平を見送るようになり、やがて目すら覚まさなくなった。ここ数ヵ月は、起きてみたら康平が消えているというパターンだった。

申し訳ないとは思うものの、OLにとって朝の一時間は何物にも代えがたいほど貴重である。ただでさえ一分でもいいから長く寝ていたいのだ。おまけに未奈子は、人一倍寝覚めが悪い。目覚まし時計を三つもセットしているのも、そうでもしなければ連日遅刻することになってしまうからだった。

同時に鳴り出した三つの目覚まし時計は、七時半を指し示していたはずだった。三つ目のスイッチを切ったときにそれを確認し、『ああ、起きなきゃ』と考えたのは憶《おぼ》えている。だがその後自分が何をしたのかは、朧《おぼろ》な霞《かすみ》の彼方《かなた》に遠ざかってよくわからなかった。次に目覚めたときには、もうすぐ九時になろうという時刻だった。

「ヤバい」

思わず声に出して呟《つぶや》いたが、どうなるものでもなかった。また遅刻だと、内心で舌打ちする。いっそ休んでしまおうかと一瞬考えたが、こんなことで有給休暇を潰《つぶ》してしまうのはもったいなかった。仕方ない、いつもの手だと、ベッドから這《は》いずるように起き出しながら電話機に近づいた。

職場に電話して、同僚に「生理痛がひどいから遅れる」と告げた。未奈子のそんな言い訳はいつものことと察している同僚は、「わかった、わかった」と苦笑混じりに答える。

さすがにばつが悪く、未奈子は早口に続けた。

「午後には行くから、適当によろしくね」

二ヵ月ほど前に異動でやってきた新しい上司は、ＯＬのこうした言い訳に寛大だった。最近はセクハラだのなんだのと世間がうるさいので、女子社員への接し方に慎重になっているようだ。いやむしろ、腰が引けていると言ってもいいかもしれない。そんなおどおどした課長を、未奈子は少し憐《あわ》れに思っていたが、こんなときには重宝な上司だった。

午後から出社ということになったので、少し時間ができた。もうひと眠りする余裕もあるが、また寝過ごしてしまうのが怖い。せっかくだからと立ち上がり、掃除でもしようかという気になった。

顔を洗って、スウェットに着替えた。窓を開け、部屋の換気をする。朝の清涼な空気が、起き抜けの肺に心地よかった。

未奈子の住むマンションは、五階建ての中層住宅だった。ワンルームが主体のため、未奈子のような独身者が多い。窓から見える景色にも同じようなマンションが建ち並んでいて、景観に優れているとは言いがたかった。ともすれば隣のマンションの住人と目が合ってしまい、ギョッとすることもある。そのため未奈子は、あまり窓を開け放たないようにしていた。

それでも今日は、久しぶりに掃除機をかけるつもりだった。掃除をする間だけでも、窓は開けておかなければならない。煙草の臭いが籠《こも》っている部屋だから、たまには風を通すことも必要だった。

自分にしては丁寧に掃除機をかけ、さらに洗濯もした。洗濯機が回っている間にコーヒーを一杯だけ飲み、煙草を吸う。掃除機をかけるだけではなく、小物や雑誌が溢《あふ》れ返っている室内を整頓《せいとん》しなければとぼんやり考えたが、今はそこまで手をつける気にはなれなかった。どうせ一年後には結婚のために引っ越すのだ。そのときにすべて段ボールに押し込んでしまえばいいと思うと、どうにも片づける意欲が湧かなかった。

洗濯物を干し終え、きちんとメイクをしてから出かけようとしたときに、今日はゴミの日だったことに気づいた。しまったと眉根《まゆね》を寄せたが、もう遅い。ゴミ収集車は行ってしまったはずだった。

仕方ないので、明日の夜にこっそりゴミ捨て場に出すことにした。そもそも朝一番に出さなければ間に合わないというのがおかしいのだ。未奈子のように収集の時間に間に合わず、どんどんゴミを溜《た》めてしまっている人も多いことだろう。もっとゆっくり収集してくれないことには、ゴミの中で暮らすことにもなりかねない。

未奈子はゴミ箱をひと蹴《け》りしてから、何事もなかったようにマンションを後にした。

計算どおり、ちょうど十二時頃にオフィス街に着いた。起きてからまだ何も食べていない。いつも行く店を何軒か覗《のぞ》いてみて、同僚が見つかったら一緒に昼食を摂ろうと考えた。

二軒目に顔を出したイタリア料理店で、仲の良いグループを見つけることができた。

「あー、遅刻魔だー」という声に苦笑いを浮かべながら、彼女たちと同じ席に着く。ランチを注文して、いつものようにたわいもないお喋《しゃべ》りの輪に加わった。

運ばれてきた料理をフォークでつついているときだった。ふと昨夜のいたずら電話を思い出し、話題を振ってみることにした。

「ところでさぁ、あたし、ついにいたずら電話を受けちゃった」

「いたずら電話？」

数人が声を揃えて訊《き》き返してくる。未奈子は頷《うなず》き、続けた。

「そうそう。なんかオヤジみたいな奴でさー、気持ち悪かったよ」

「なんて言われたのよ」

「――遅刻するから、早く寝ろって」

一同は爆笑した。

「その人、けっこういい人じゃん。毎晩電話してくれるといいね」

腹を抱えたひとりが、そんなことを言った。

「冗談じゃないわよ。いたずら電話するなんて、変態に違いないんだ。ねえ、そういう電話って、受けたことある？」

「あるある」顔を顰《しか》めて、未奈子の隣に坐《すわ》っているＯＬが頷いた。「あるよ、変態からの電話。ああ、もう、思い出すだけで鳥肌が立つ」

「どんな感じだった？」

「よくある奴よ。今ひとりなの、とかさ、暇ならエッチな話しない、とか、オヤジ臭いの」

「あるよねー。あたしもある、ある」

何人かが同意を示した。こんなことを言われたことがあると、あまり大きな声では言えないことを互いに披露し合い、はしゃぐ。未奈子はそれらを聞いているうちに、だんだん憂鬱《ゆううつ》になってきた。彼女たちが受けたいたずら電話は、まず一度では済まなかったようだからだ。

「そういう電話って、今でもかかってくるの？」

「かかってくるよー。しつこいんだから」

「ホント？　やんなっちゃうな」

「向こうもさ、こっちが女のひとり暮らしだと思うと、調子に乗って何度もかけてくるみたい」と、別のＯＬ。「あたしは一度、彼氏が来てるときにかかってきたもんだから、こっそり電話代わって怒鳴ってもらったのよ。そうしたらそれっきりかかってこなくなったけど」

未奈子はそちらに顔を向けた。

「ああ、そう。そうまでしないと、駄目？」

「そうね。あたしもしばらくは留守電にして凌《しの》いでたけど、そうすると何度も何度もかけてくるのよ。うるさいったらなかったわ」

「ふーん」

未奈子は口にフォークを運び、康平の顔を思い浮かべた。とても変態相手に怒鳴ってくれるようなタイプには思えなかった。

「留守電、ねぇ」

呟くと、「そうそう」と相槌《あいづち》が返ってくる。

「当面は留守電使って、相手にしないのが一番よ。電話に出なければ、向こうもつまんなくなってやめるかもしれないしさ。ああ、そういえば未奈子、留守電ないんだっけ」

「そうなのよ。失敗したかな」

「まずいかもねー。ま、あんまりうるさいようだったら、最後の手段で電話番号を変えてもらうのも、手かもよ。めんどくさいけどね」

「そういう奴ってさ、どうやってこっちの電話番号を知るんだろう」

「それは適当でしょう。でたらめに電話してみて、女の子の声が出た番号を控えておくんじゃない。それしかないでしょ」

「でもさ、あたしのとこに電話してきた奴は、遅刻するなとか言ったんだよ。あたしがよく遅刻するって、なんで知ってたんだろ」

「それは変ねー。もしかして、知り合いだったりして」

「知り合い？」

「そうそう、課長だったりしてー！」

そう言って、また彼女たちは笑い合った。未奈子もそれに合わせて笑みを浮かべたが、口許《くちもと》が引きつっているのが自分でもわかった。あの電話は身近な人間だったのだろうかと、いやな想像が頭の中をよぎった。

4

恐れていたとおり、同じ相手からの電話はその日の夜にもかかってきた。未奈子は子機を取り上げた瞬間に、電話口に出たことを後悔した。

「今日も遅刻したな。昨日注意してやったのに、だらしのない女だ」

「あんた誰よ」

気味悪いという思いよりも、相手の言い種《ぐさ》に対する腹立ちの方が勝った。名前も名乗らない相手に、なぜこのようなことを言われなければならないのか。いたずら電話にしては、相手の言葉はあまりに押しつけがましい。未奈子は電話を切ることも忘れ、相手に食ってかかった。

「誰だっていいだろう」

だが男は、平板な声でそう言い返してくる。未奈子は怒鳴りつけるように言った。

「どういうつもりか知らないけど、いたずら電話してくるような変態に付き合っている暇はないのよ。もう二度とかけてこないでちょうだい」

「男といちゃつく暇はあっても、親切な電話に耳を傾ける時間はないってわけか」

「えっ？」

ふと、首の周りが寒くなり、思わず部屋の中を見回した。どうしてこの男は、康平が昨日ここに来ていたことを知っているのか？　もしかして男は、この部屋の人の出入りを監視しているのだろうか？

「どういうことよ。どうしてそんなことを言うの？」

問い返したが、男はそれに答えなかった。

「お前みたいな女は最低だよ」

捨て台詞《ぜりふ》のように激しい語気で言い、乱暴に電話を切った。未奈子は機械音だけが聞こえる子機をまじまじと見つめ、少し身震いした。

子機を架台に置いて、窓に目をやった。カーテンはきちんと閉まっている。窓を通して外から覗《のぞ》かれている心配はない。ならばどうして、男は康平が来ていたことを知っていたのか。このマンションのエントランスを見張ってでもいたのだろうか。

薄気味悪くなって、思わず康平の家に電話を入れた。康平は会社の独身寮に住んでいるが、自分の部屋に電話がある。十一時を過ぎた時刻でも、電話をするのに気兼ねは不要だった。

会社から帰ってきていないかもしれないと思ったが、幸いにも康平は電話に出た。たった今かかってきた気味の悪い電話について説明し、どういうことだろうかと意見を求める。康平は「うーん」と唸《うな》るように言って、自信なさそうに口を開いた。

「誰かが未奈ちゃんの行動を見張っているのかなぁ。でも、部屋のカーテンはきちんと閉めてるんだろう。だったら直接覗かれたわけじゃないと思うよ。ぼくがそこに行っているのは、カーテン越しの影でわかったんじゃないかな」

「ああ、そうか。でも、もしそうだとしても、見張られているのには変わりないよね。どうしよう、変態に目をつけられたのかなぁ」

口にしてみると、改めて恐怖心が湧いてきた。カーテンを捲《まく》って外を覗いてみたい衝動を覚えたが、そんなことをして誰かと目が合いでもしたらたまらない。そう考えると、どうにも腰を上げる気になれなかった。

「警察に言ってみたら」

康平は簡単に提案する。だが未奈子にしてみれば、それはそれで憂鬱なことだった。

「警察ぅ？　警察なんて、この程度のことには何もしてくれないよ、どうせ。だってあたし、まだ何も被害を受けてないんだもん」

「被害を受けてからじゃ遅いじゃない。ひと言言っておけば、パトロールを重点的にやってくれると思うよ」

「まあ、そうかもしれないけどさ」

未奈子としては、康平に『おれが守ってやる』とか、何か逞《たくま》しいことを言って欲しいのだった。それが難しいことにしろ、いきなり警察を頼れというのはあまりに現実的すぎる。康平にしてみれば無理もないのだろうが、未奈子は面白くなかった。

「そうね。考えてみる。今後もこんな電話がかかってくるようなら、警察に言う必要があるかもしれないわね」

「そうだよ。外を歩いてて、誰かに尾《つ》け回されているような感じはないの？」

「ないわよ、そんなこと。気持ち悪いこと言わないで」

「ごめんごめん。でもさ、昼間でも気をつけなよ。結婚を控えてる身なんだからさ」

「わかってる。注意するわ」

未奈子がそう言ったのを最後に、その話題は終わりになった。その後しばらく、結婚にまつわる煩雑な手続きの打ち合わせをし、電話を切った。早く寝ることにしようとベッドに入ったが、目が冴《さ》えてしまったのかなかなか寝つくことができなかった。早く結婚して、こんなマンションはさっさと引き払ってしまいたいと、心の底から念願した。

5

その翌日の夜は、また電話がかかってこないかと戦々恐々として過ごすことになった。電話線を引き抜いてしまえば、こんなくだらないことに煩わされずに済むのだが、まだそこまでの荒っぽい解決策に頼る決心はつかない。携帯電話があるとはいえ、通常の電話を使えないようにしてしまうわけにはいかないのだ。なぜこんな思いをしなければならないのかと、苛々《いらいら》する気持ちを持て余した。

だがそんな未奈子の心境をあざ笑うように、その日は一度も電話が鳴らなかった。未奈子はほっとするような、拍子抜けするような複雑な心地で床に就いた。

三度目の電話があったのは、さらにその翌日だった。電話が鳴った瞬間に未奈子はいやな予感を覚え、そして耳障りな男の声を聞いたときにそれが当たったことを知った。

「昨日の夕食はコンビニの弁当か。女のくせに、料理くらいできないのかよ」

いきなり男は、こちらの度肝を抜くようなことを言った。未奈子は絶句し、しばし言葉を返せずにいた。

「ど、どうしてそんなことを知ってるのよ?」

「あんたのことならなんでも知ってるよ。弁当と一緒にウーロン茶を買って飲んだってことまでね」

とっさに窓に視線を向けた。カーテンはしっかりと閉まっている。だが未奈子は、今この瞬間も誰かに見られているような錯覚を覚えた。

「それから雑誌も買っただろう。あんたはくだらない雑誌を読むのが好きだからな」

男は得意げに続ける。その言葉で未奈子は、はっきりと確信した。この男は、昨日コンビニで買い物をしたときに、その場にいたのだ。こちらが何を買ったのか、逐一見守り続けたに違いない。そうでもしなければ、ここまで正確に言い当てることなどできるわけがなかった。

「どういうつもりなのよ。どうしてこんな電話をかけてくるの?　どうしてあたしのことを監視するのよ!」

恐怖に負けて、大声を上げた。だがそれは相手を喜ばすだけに終わったようだ。男は勝ち誇ったような口調を変えなかった。

「あんたみたいな女は、気に食わないんだよ。せいぜい自分の行いを反省するんだな」

「どういうこと？　あたしがあなたに何をしたって言うのよ。なんの恨みがあって、こんないやがらせをするの？」

畳みかけるように問うたが、男は答えようとしなかった。しばし気味の悪い沈黙が続いてから、唐突に電話が切れた。未奈子は手にしている子機そのものに嫌悪を感じ、カーペットに投げ出した。

立ち上がって、カーテンの隙間に目を当てた。外を覗き、こちらを見ている者がいないか捜す。隣のマンションには何戸か明かりが点《つ》いている窓があったが、外を見ているような人影はなかった。

だが未奈子は、それで安心などできなかった。明らかに自分は、何者かに尾けられているのだ。その人物はおそらく、変質的な執拗《しつよう》さで未奈子の行動を逐一監視していたのだろう。目的がまったく摑《つか》めないだけに、かえって未奈子の恐怖心は膨れ上がった。

その夜未奈子は、電気を点けっぱなしで寝ることにした。暗闇にひとりでいることには、とても耐えられないと考えたからだった。だが慣れない明るさのためか、ほとんど睡眠をとることはできなかった。翌朝寝不足のまま出社し、その日は辛《つら》い時間を過ごさなければならなかった。

6

週末は、とても家にいる気になれなかった。康平を呼び出し、朝から八景島《はっけいじま》の室内プールにいた。一週間の疲れが溜《た》まっているらしい康平は、季節外れの水泳に難色を示したが、未奈子の懇願に折れた。未奈子が泳いでいる間、康平はプールサイドのデッキチェアで昼寝をしていた。少し申し訳ない気がしたが、かえって気持ちよく昼寝をさせておくのも康平のためかと考え直した。未奈子はひとり、現実を忘れて水の中を泳ぎ回った。

その夜は、康平と一緒にホテルに泊まった。マンションに帰るのはいやだったのだ。今日一日だけ逃げたところで、抜本的な解決には繋《つな》がらないとわかっていたが、誰かが見張っているはずのマンションからはなるべく遠ざかっていたい。そんな気持ちを康平に訴えると、心配げな表情をしつつもホテルに一泊するのを承知してくれた。

翌日はどこに行く当てもないので、逗子《ずし》を適当にドライブして過ごした。夜十時過ぎに、仕方なしにマンションまで送ってもらい、そこで別れた。本当ならば康平に泊まっていって欲しかったが、明日の仕事を考えるとそんな無理も言えない。ざっとシャワーでも浴びて、さっさと寝てしまおうと思った。

電話がかかってきたのは十一時過ぎだった。今夜の電話は短かった。男はただひと言だけ、「お前みたいな女は結婚する資格なんてない」と言うと、こちらの反応も待たずに切った。未奈子は「ふざけるな」と小さく呟《つぶや》いて、そのままベッドに入った。どうして結婚のことを知っているのかという疑問が頭に引っかかったが、突き詰めて考えるのが怖いのであえて頭から押しのけた。

夜中に一度目を覚まし、きちんと戸締まりをしていたかを確認した。不安が胸の中で膨れ上がり、とても熟睡などできなかった。

会社で一連のいたずら電話について話すと、さすがに今度は笑う者などいなかった。誰もが自分のことのように怖がり、未奈子の身を案じた。

「それ、普通じゃないよ。まずい奴に目をつけられてる」

「そうだよ。警察に言った方がいい。襲われてからじゃ遅いもん」

「そうそう。なるべく彼氏に泊まってもらうようにしてさ、できたらすぐ引っ越しな。危なすぎ」

同僚たちは、口を揃えてそう忠告した。未奈子は取りあえず、「そうだね」「心配してくれてありがとう」と答えておいたが、かえって相談する前よりも怖くなってしまった。退社してからデパートに寄り、痴漢撃退用の防犯ベルを買った。

自宅の最寄り駅に着いたときには、ヤマアラシのように神経を尖《とが》らせた。左右を慎重に見回し、自分に視線を向けている者がいないことを確認する。足早に改札口を抜けて、そのまま真っ直ぐマンションを目指した。いつもなら寄るコンビニエンスストアも、今日は素通りした。夕食はデパートの食品売場で買い込んできたのだった。

マンションのエントランスに入るときにも、もう一度周囲を見回した。道の前後はもちろん、近くのマンションの窓も確認する。そして誰もこちらを見ていないと確信してから、マンションの中に駆け込んだ。

どうしてこんな思いをしなければならないのかと、念入りに玄関ドアを施錠した後で悲しくなった。いったい誰が自分をつけ狙っているのか。他人の恨みを買うようなことはしていないはずだ。単なる面白半分でいたずら電話をかけてくるなら、もういい加減にして欲しい……。

両肩に重い疲れを感じ、そのときにようやく決心がついた。しばらくの間、電話線を抜いてしまおう。知り合いには不便をかけてしまうが、携帯電話があるのだから取りあえず用は足りるはずだ。そうだ、そうしておけば何も電話の音に怯《おび》える必要はないのだ。我慢などしないで、さっさとそうすればよかった。

一度心を決めると、少し気分が楽になった。さっそくモジュラージャックから電話線を抜き、丸めて部屋の隅に放置しておく。これで今日は安眠できると考えると、全身から力が抜けた。しばらく立ち上がれずに、カーペットにへたり込んだまま呆然《ぼうぜん》としていた。

ようやく気力を振り絞って、取りあえず着替えをした。買ってきた食事をぼそぼそと食べ、煙草を一本吸う。ぼんやりと眺める室内の有様は、以前にも増して乱雑だった。康平が来たならまたひと言注意されるかもしれないが、今はどうしても片づける気になれない。康平だってそのことはわかってくれるはずだと、自分に都合のいいように考えた。

通常の電話はしばらく使わないと、康平にだけは取り急ぎ連絡を入れておくことにした。電話線を繋ぎ直して、ダイヤルする。電話口に出た康平は案じるような声で、「それはしょうがないね」と言った。

「しばらくそうしておいて、様子を見た方がいいよ。いちいち電話が鳴るたんびに、びくびくしていちゃ神経が保《も》たないからね」

「あたしもそう思ったの。怯えて睡眠不足になっているようじゃ、相手の思うつぼじゃない。それも悔しいから、こっちもそれなりの手段に出ないとね」

「うん。それからやっぱり、警察にも言っといた方がいい。いたずら電話はれっきとした犯罪なんだから」

「そうね。会社の友達にもそう言われた。明日にでも近くの交番に行くわ」

「何度も言うけど、ホントに気をつけるんだよ」

「うん、ありがとう」

康平と言葉を交わしたことで、気持ちがようやく落ち着いた。電話線を抜いてしまい、警察にも助力を仰げば、反撃としては充分だろう。ほっとすると、とたんに瞼《まぶた》が重くなってきた。

康平との電話を終えて、ふたたび電話線をモジュラージャックから抜いた。もうこれで、今夜は電話が鳴ることもない。変態に一矢報いたささやかな勝利感を味わいながら、久しぶりにゆっくり眠るつもりだった。

携帯電話が鳴ったのは、ちょうど未奈子がベッドに入ろうとしたときだった。康平が何か言い忘れたことでもあったのだろうかと、取り上げてスイッチを押した。「はい」と弾む声で応じた未奈子は、次の瞬間身を強張《こわば》らせた。

「どうして電話に出ない。電話線を抜いたのか」

聞こえてきたのは、もはや記憶の底にこびりついた男のくぐもった声だった。それを聞いた刹那《せつな》、未奈子は「どうして……」と呟いた。なぜ男は、携帯電話の番号を知っているのだ？

「おれが携帯に電話したのが不思議か？　おれはな、あんたのことならなんでも知ってるんだ。嘘じゃないぜ。あんたがその部屋でやってることは、全部天から見てるんだからな」

「嘘！　何言ってんのよ！」

むきになって言い返した。冗談じゃない。相手はただ、こちらを怯えさせようとしているのだ。そんな手に乗ってたまるものか。

「嘘じゃないぜ。試しにおれが見てたあんたの行動を言ってやろうか。そうだな、あんたはこの前買った雑誌の綴《と》じ込み葉書で、懸賞に応募しようとしただろ。でも字を書き間違えたので、面倒になって捨てた。違うか」

未奈子は何も言えなかった。あまりの驚きに、言葉を失っていたのだ。確かにそのとおり、雑誌を買ってきたその日に、未奈子は男の言うような行動をとった。

「他にも知ってるぜ。あんたは皿を一枚割っただろう。ろくに料理もしないくせに、一人前に皿なんか使おうとするからだ。がさつな女だぜ」

それもまた、指摘どおりだった。おととい未奈子は、うっかり手を滑らせて皿を割った。あのときの様子を、男はどこかから見ていたというのか。

「ど、どうして？　どこから見てるって言うのよ？」

カーテンは一センチの隙間もなく閉まっている。むろん壁や天井に穴などない。どこからも覗《のぞ》かれる心配はないはずだ。それなのに、なぜ？

「わかった！　隠しカメラね。どこかに隠しカメラを仕掛けたんでしょう」

怒鳴るように言うと、男は嚙《か》み殺した笑い声を立てた。こちらを小馬鹿にした、耳障りな笑い方だ。未奈子は恐ろしさ半分、怒り半分で問い詰めた。

「どうなのよ。そうなんでしょう。はっきり言いなさいよ」

「……まあ、せいぜい隠しカメラを捜すんだな」

男は突き放すように言うと、電話を切った。未奈子は携帯電話を投げ出し、散らかった部屋の中を捜索した。何者かが仕掛けたはずのカメラを見つけない限り、もはや永久に平穏は訪れないと思い込んでいた。

雑誌の山をひっくり返し、テレビやステレオコンポを動かし、果ては部屋中の壁を叩《たた》いて回った。意地でも隠しカメラを発見してやるのだと、半狂乱になりながら部屋中をひっくり返した。だがそんな努力にもかかわらず、不審な物はいっこうに発見されなかった。その事実に未奈子の不安は、よりいっそう煽《あお》り立てられた。未奈子はその晩、一睡もせずに空しい探索を続ける羽目になった。

7

翌日、朝一番に交番に駆け込んで、現在置かれている窮状を訴えた。夜勤をしていたらしい中年の警察官は、一応未奈子の訴えを書類に書き込む様子は見せたが、明らかに真剣に取り合う意欲に欠けていた。じゃあこれから気をつけて見回りをするから、とおざなりに約束するだけで、本当に頼りにしていいのかどうか不安になる。それでもその言葉を信頼して、お願いしますと頭を下げることしか未奈子にはできなかった。

その日の夜には、無理を言って康平にマンションまで来てもらった。いたずら電話がかかってきたら、康平からひと言言ってもらおうと思ったのだ。だがそうしたときに限って、携帯電話は一度も鳴らなかった。

それでも未奈子は、康平がいるだけで安心できた。昨日の夜の恐怖は、もはや二度と味わいたくない。男がどこから未奈子の行動を見ているのかがはっきりしない限り、この部屋にひとりでいることにはとても耐えられないと感じたのだ。ひと晩中部屋の中を捜し回り、隠しカメラなど存在しないことを確かめた今、男の言葉はよりいっそう薄気味悪く思えた。

康平も、その謎については首を捻《ひね》っていた。この部屋を覗く手段などまったく存在していないのだから、相手は透視能力でも持っているとしか思えない。康平は結論を留保して、警察を信用して気を楽にした方がいいと慰めるだけだった。

釈然としないながらも、康平がそばにいてくれる安心感から、久しぶりに熟睡することができた。ほとんど夢も見ない眠りは一瞬のように感じられ、目が覚めたときにはいつものように康平の姿が消えていた。

今日ばかりは軽い罪悪感に駆られながら、ベッドから起き出した。あれこれと身支度を済ませて部屋を出るときに、康平がゴミを捨てていてくれたことに気づいた。いつも夜中にゴミを出して、ゴミ捨て場の前の住人に苦情を言われるという話を憶《おぼ》えていたのだろう。自分のだらしなさを恥ずかしく思うと同時に、康平との結婚生活は快適なものになるだろうなと現金に考えた。

その日の夜は、またひとりで過ごさねばならなかった。いくらなんでも、二日続けて康平に泊まってもらうわけにはいかない。女の友人を誘おうとはしたのだが、あいにく都合がつく人は誰もいなかったのだ。未奈子はどこからか自分に注がれている視線を意識しながら、部屋の中でただ怯《おび》え続けた。

いっそ携帯電話のスイッチを切ってしまおうかと、何度も考えた。だがそこまでする踏ん切りは、どうしてもつけることができなかった。留守番電話が嫌いだったとはいえ、電話でのお喋《しゃべ》りそのものは人一倍好きなのだ。外界との接触を完全に断ってしまうことは、いたずら電話の恐怖にも勝る不安を未奈子に覚えさせた。

そして電話は、いつものように十一時過ぎにかかってきた。未奈子はほとんど諦《あきら》めの心境で電話に出た。

「今日は彼氏はいないのか」

男はいやらしい物言いをする。未奈子はつっけんどんに応じた。

「今日はって、どういうことよ」

「来てたんだろう、昨日」

言い当てられても、もはや驚く気力もなかった。

「だったらどうだって言うの」

「二回もしたな。好きな奴らだ」

その言葉を聞いた瞬間、未奈子は携帯電話をベッドに投げつけた。両手で耳を覆い、大声で「いやだぁ!」と叫ぶ。こんな部屋は今すぐ飛び出して逃げたかったが、鍵《かぎ》を開けて外に飛び出す勇気もなかった。

引っ越そう、こんなマンションはすぐに引っ越そう。もうこれ以上、ここに住み続けることはできない。誰かが覗いているこんな部屋にいたら、神経がおかしくなってしまう。どうして、どうしてこんなことになってしまったのか……。

8

男からの電話は、ほぼ一日おきにかかってきた。未奈子は友達の家を泊まり歩いて、なるべくマンションには帰らないようにしたのだが、相手はかまわず携帯電話を鳴らす。やがて耐えきれなくなり、携帯電話の電源も切っておくことにした。このとき初めて、留守番電話を手放したことを痛烈に後悔した。

間の悪いことに、しばらくすると生理が始まってしまった。こんなときに限って生理痛がひどく、とても会社に行ける状態ではなかった。この前生理を口実に使ってしまったことを後悔しつつ、有給休暇を使って休むことにした。

電話が鳴ったのは、マンションに引き籠《こも》っておとなしく寝ていたときだった。康平と連絡をとるために電話線を繋《つな》ぎ直し、ちょうど受話器を持ち上げようとした瞬間、ベルが鳴り出した。未奈子は手を引っ込め、電話機を睨《にら》みつけた。今こちらの電話に連絡してくるような者は、未奈子の知り合いの中にはいないはずだったからだ。

「あんた、生理中だろう」

恐る恐る受話器を取り上げると、そんな言葉が聞こえてきた。有無を言わさず受話器を架台に叩きつけ、無駄と知りつつ窓から顔を出した。

周囲に視線を走らせたが、案の定こちらを見張っているような人影はなかった。悔しさに下唇を嚙み、乱暴に窓を閉める。そのときふと、視界の隅である場所を捉《とら》えた。

その刹那《せつな》、未奈子は「あっ」と声を上げた。目を瞠《みは》り、そこをじっと見つめる。そうか、そういうことだったのか。どうしてこんなことに気づかなかったのかと、己の迂闊《うかつ》さに舌打ちしたくなった。いたずら電話の男は、至極単純な方法で未奈子の私生活を探っていたのだ。そしてそれがわかると、男の正体も明らかになったも同然だった。

電話の男は、ゴミ捨て場の前の住人に違いない。未奈子ははっきりと確信した。独身の四十男で、広い家にひとりで暮らしている。以前は母親と一緒だったらしいが、すでに亡くなったそうだ。どんな仕事をしているのかは知らない。

未奈子が知っているのは、男はうるさいほどに神経質だということだ。夜中にゴミを出し、その現場を見つかったときは、ねちねちとした言葉で絡まれた。未奈子とて自分が悪いという自覚はあるから神妙にしていたが、その粘着質な言葉はとうてい聞くに堪《た》えないものだった。未奈子が大きい声で詫《わ》びを口にし、強引に中断させなければ、三十分でも一時間でも説教を続けたのではないかと思われた。

今や未奈子の頭の中では、変質的な電話の声と、男の腺病質《せんびょうしつ》な容貌《ようぼう》が一致していた。あの男ならば、未奈子に反省を促すつもりでしつこく電話してくることも考えられる。こちらの私生活を細かい部分まで知っていたのも、すべてゴミから得た情報なのだ。

男が口にしたことは、ゴミを漁《あさ》ればわかることばかりだ。コンビニエンスストアで何を買ったかなど、レシートを見れば簡単に判明する。康平が来ていたことや、現在生理中だということも、ゴミを見れば一目瞭然《りょうぜん》のことだ。男は未奈子が出したゴミ袋を家に持ち帰り、それを詳細に検討してこちらの生活を推理していたのだろう。その様子を想像すると、改めておぞましさが背中を走った。

ゴミ捨て場を変えよう。未奈子は決心した。確かに夜中にゴミを捨てるような真似をしたこちらが、モラルに欠けた住人だった。そのことは素直に反省する。だが他人の捨てたゴミを漁るような人間も、それと同等以上に良識に欠けていまいか。男がやっていたことは、れっきとした犯罪なのだから。

ともあれ、男を警察に告発するのだけは我慢することにした。こちらがゴミ捨て場を変え、以後公共のルールを守ればそれで済むことだ。泣き寝入りするのは悔しいが、元はといえば原因はこちらにある。今後電話に悩まされなくなるのであれば、未奈子としてはそれで充分だった。

9

未奈子の推測どおり、ゴミ捨て場を変えたとたんにいたずら電話はかかってこなくなった。康平にそれを告げると、「よかったねぇ」と心から安堵《あんど》したような声を上げた。康平にもいらぬ心配をかけてしまったことを、未奈子は深く反省した。これをいい教訓として、少しは私生活を改めようと心に誓ったほどだった。

念のために、電話番号は変えることにした。番号を書いた紙は、すべて燃やしてから捨てるように気をつけた。男が携帯電話の番号まで知っていたのは、未奈子が不用意に書類を捨てたからなのだ。もう二度と同じ間違いは犯すまいと肝に銘じた。

ついでに、というわけでもないが、結婚のための新居探しにも取りかかった。いたずら電話が止んだとはいえ、おかしな男がすぐ目と鼻の先に住んでいる状況に変わりはないのだ。引っ越すならば早い方がいい。康平も未奈子の意見に賛成してくれた。

それからしばらくは、打って変わって楽しい日々が続いた。これまで集めたブライダル雑誌や、結婚式場のパンフレットを、暇さえあれば引っぱり出して見た。華やかになるはずの披露宴の様子を想像すると、幾度それらを読み返しても飽きることはなかった。

ふと、いやなことに思い至ったのは、そんなふうにブライダル雑誌を読み返していたある日のことだった。未奈子は結婚が決まってから、買い込んだブライダル雑誌をすべて取ってある。集めたパンフレットも、どんなつまらないものでも全部部屋の隅に積み上げていた。一回も、それらを捨てた憶《おぼ》えはないのだった。

いたずら電話の男は一度だけ、「お前など結婚する資格がない」というような言葉を投げつけてきた。そのときはあまり深く考えなかったが、冷静になってみればおかしなことだ。どうして男は、未奈子が結婚することを知っていたのだろうか？

付き合っている相手がいると知ってて、一般論として言ったのだろうか。それにしたところで、妙な気がする。あのとき男は、いつものようにこちらの神経を逆撫《さかな》でする言葉を重ねるでもなく、ただひと言だけ言って電話を切ったのだ。まるでその台詞《せりふ》だけが言いたかったかのように……。

男は声から正体がばれることを案じていたのか、受話器に布を被《かぶ》せたようなくぐもった声を発していた。ああした声は、誰であろうと同じように聞こえるものだ。もしあのときだけ違う人物だったとしても、未奈子は聞き分けることなどできなかっただろう。幾度も声を聞いたことのある、身近な人物だったとしても。

未奈子はいつもにこやかな康平の顔を思い浮かべた。自分と結婚することを後悔していないか、その本音が無性に訊《き》きたくなった。

自註解説

初めての短編集である。

デビュー当初は、自分に短編の依頼があるなどとは思わず、もし万が一あったとしても断ろうと考えていた。根深い苦手意識があったのだ。それを各社の編集者の方が、ある人は熱心に、ある人は騙《だま》し討ちで、私に短編を書かせた。短編の書き方などわからなかったその頃の私は、それこそ文字どおり一から勉強するつもりで、ひとつひとつ力を振り絞って書いた。それがこうして一冊になる。なかなか感慨深いので、蛇足とは思うものの自註《じちゅう》解説をつけることにした。作者が何を考えて書いたかなどということに興味のない方は、どうか読み飛ばしていただきたい。

崩れる（小説すばる94年11月号掲載）

かなりの難産の末、掲載された作品。どのような作風の短編を書いたらよいかわからず、結果三つの小説を書くことになった。これが、その三つ目。これを起点として、以後も同傾向のものを書くことになったので、この作品で自分に合った短編のスタイルを摑《つか》んだとも言える。短編のリズムがわからず長編と同じようにして書いたため、かなり描写が濃くなっているが、そのぶん今では書けない迫力が行間に滲《にじ》んでいるように思う。全体に漂う「熱さ」は、計算ではなく私自身の懊悩《おうのう》だったのだろう。いざ掲載されると、編集部でも驚くほど読者の反響があったという。それに強く勇気づけられたのは、言うまでもない。

怯える（小説すばる95年4月号掲載）

前作が好評だったので、それを維持しなければならないというプレッシャーの許《もと》に書き始めた作品。同傾向で、かつ趣向はまったく違うものを狙った。やはりまだ長編の書き方で書いているように思うが、自分のためにはその方がよかったと感じる。ただし、短編なりの書き方というのを摑んだのもこの作品でのこと。具体的には、ラスト数行がそれ。書き始めたときには考えてもいなかったことなので、書くことで何かを学んだのだと思う。

憑かれる（小説すばる95年8月号掲載）

非常にタイトなスケジュールの中、二日で書き上げた作品。これを二日で書いたことで、締め切りに必ず間に合わせることができるという自信がついた。そういう意味では、ここで初めてプロになったとも言える。だが残念ながら、レベル的にはこの作品集の中では一段階落ちるように思う。それなのになぜ収録するのかと言えば、一冊としての仕上がりを考えた場合、こうした趣向のものもあっていいと判断したため。テーマを統一した短編集を作ると意識し始めたのも、この作品からのこと。

追われる（小説すばる95年11月号掲載）

今ならば、こうしたストーリーはストーカーものと呼ばれるところだろう。発表当時はまだ、ストーカーという言葉は一般的でなかった。むろん、私も知らなかった。だが今読み返してみると、ストーカー以外の何者でもない。「怖いこと」とは、超現実的なことではなく、こうした身近な存在ではないかと思う。ちなみにここに出てくるようなセミナーは、実在するものだそうだ。

壊れる（小説宝石95年11月号掲載）

この連作としては、初めて小説すばる以外に発表した作品。購読層が違うことを意識して、不倫の話を書いてみた。この一編だけ雰囲気が違うのは、そういう理由である。私はサラリーマン経験があるとはいえ、支店勤務だったためごく小さな事務所で働いていた。だからこうした世界はまったくの想像なのだが、読み返してみてもそれほど嘘臭いとは感じなかった。いかにもサラリーマン社会的なストーリーだと思う。

誘われる（小説すばる96年3月号掲載）

公園デビューというテーマを扱ってみたが、書いた当時は今ほど一般的でなかったように記憶している。少なくとも、独身の若い男がよく耳にする言葉ではなかった。これを発表した直後から、テレビなどでも頻繁に取り上げられるようになり、かえって困ったものだった。「追われる」のストーカーといい、旬の題材にすぐ飛びついているかのようだが、決してそんなつもりはなかった。むろん、それは言い訳に過ぎないが。

腐れる（小説NON96年10月号掲載）

臭いを小道具としてサスペンスを盛り上げるという手法は、単に私が勉強不足のせいだろうが、他に知らない。そういう意味では、なかなかユニークな作品だと自己評価している。またミステリー的にも、全体に《揺らぎ》の感覚が漂っていて、私の書いたものとしては珍しい。もう二度とこうした作品は書けないかもしれないので、この短編集の中でどれかひとつを選ぶとしたら、私はこれを挙げたい。

見られる（小説すばる96年12月号掲載）

作品中に登場するキャラクターは、多かれ少なかれ作者自身が反映していると一般の方は思われるかもしれないが、決してそんなことはない。この短編集に出てくるキャラクターすべてが、私とは似ても似つかぬ人物ばかりだが、特にこれに出てくるふたりは正反対と言っていい。自分とまるで違うキャラクターを創る作業はなかなか面白く、しかもこの作品の場合はそれが最後のひねりに直結している。ようやく私も、短編の書き方を修得したように思う。

以上、八編。ひとつとして同じパターンのものはなく、その意味ではかなりバラエティーに富んだ短編集になったと自負している。「崩れる」から「見られる」に至るこれらの短編は、そのまま私自身の勉強の過程でもある。これから私は、次のステップを見据えなければならない。

（一九九七年五月）

集英社文庫版解説

桐野　夏生

私は貫井徳郎氏の小説のファンだ。貫井氏は、極めて意志的に小説を構築していくタイプの作家だからである。コンセプト・メイキングから始まって、スタイル、プロット、トリック、ストーリー。あたかも複雑なパズルを作り上げるように、これらを仕込んだり絡めたり解《ほど》いたりして、緻密《ちみつ》な小説を書こうとしている。知的な企《たくら》みを持つだけでなく、常に違う目標を設定してはクリアしていく人。こういう作家を私は信頼している。

貫井氏には柔らかで剛直な「視線」(視点ではない)が備わっている。視線を持つ作家は、実は類《たぐ》い稀《まれ》である。大変な才能に恵まれた作家と言えよう。皆と同じ事物を見ていても、彼の視線はきっと、誰も気付かなかった妙なものを見たり、他人の偏りや、自分と他人との隔たりに敏感に反応するはずである。感受性に満ちた客観化能力。この視線を感じた時、私は鳥肌が立つくらい嬉《うれ》しくなる。

例えば、「崩れる」のパート主婦の苛立《いらだ》ち。「誘われる」の若い母親の焦り。二十代の男性が、女性の、自覚すらしていないもやもやした思いを、あそこまで描き切れるものだろうか。想像することさえできないのではないか。だが、貫井氏は自身が中年の主婦に、そして若い母親になったかのように、彼女たちの感情や考えをあぶり出していく。それも圧倒的リアリティをもって。私が書きたいと思っていたものも、同様な女の荒涼であり、希望のない閉塞《へいそく》感だった。『崩れる』という短編集を読んだ時は、かなりの衝撃を受けたことを覚えている。誰も書いていなかったからだ。

貫井氏の文章には緊迫感と抑制がある。文章は磨けば磨くほど上手《うま》くはなるが、いい文章にはならない。視線を持つ作家は、いい文章を書く。対象を的確に見ることによって、描写もまた精度を増すのだろう。

だが、文章という無意識の力は、物語を自由自在に広げることができるがために、しばしば作家の企みを裏切ることもある。どんなに意志を強く持って作品を構築しようと臨んでも、無意識の方が意志を凌駕《りょうが》してしまう。強い文章が、自由な物語が、勝手に書き手を運んで見知らぬ土地に着地させるのだ。私は小説の持つそんな魔力も信じる者である。むしろ、そういう小説の方が好みかもしれない。『崩れる』は彼の無意識が大きく姿を現した作品集ではないか、と考えている。

本書には「結婚にまつわる八つの風景」と副題が付いているが、テーマは結婚というよりも、人間関係の距離感である。それもマンションや都営住宅など、集合住宅の中の様相である。ぴんと張り詰めた神経の在りよう。コンクリートの箱に棲《す》み、アスファルトの道路を歩く都会人があちこちで磨《す》り減らし、尖《とが》らせるもの。鬱陶《うっとう》しさ、寂しさ、行き場のなさ、怒り。これらが部屋の隅に溜《た》まる埃《ほこり》のように服に付着し、口の中をざらつかせ、髪を汚す。こんな不快な感触に満ちている。誰もが感じているのに、書かれることのなかった繊細な不快感。氏はこれらを表すことのできる優れた作家である。

貫井氏の著作の中でも、とりわけ好きな作品集の解説をすることができて嬉しい。今後、貫井氏自身が「崩れる」ところも、またその破れ目から生まれる怪物のような作品も読んでみたいと思う。

以下、各作品について私なりに解説してみた。

「崩れる」

表題作となるだけあって、最も刺激的な作品。主人公の主婦は、家計補助というより、稼ぎ手となってパートに出ざるを得ない。仕事は化粧品を箱に詰める単純作業。夫はぐうたらな「カス」。カスを摑《つか》んだと諦《あきら》めても、とりあえずは生活していかねばならない。くたくたになって帰れば、夕食の支度。この辛《つら》い日々は永遠に続くのか。出口を塞《ふさ》がれた重圧がのしかかるように事細かに書かれ、読む者を圧倒していく。

ここに書かれているのは、確かに壊れかけた夫婦の有様である。作者の意図がどうであったかは定かでないが、日本の主婦が置かれている状況をつぶさに描いてしまっている。つまり、主婦とパート労働という、日本の産業構造の隙間にぴたりと塡《は》まり込んでしまった女の絶望である。だから、惨《むご》い結末はむしろカタルシスとなる。それが小説という虚構の持つ力だ、と実感させる。

「怯える」

昔付き合っていた女に付き纏《まと》われる。これは男特有の怯《おび》えかもしれない。男が、すでにパートナーのいる女に付き纏うという話はあまり聞いたことがない。遠慮があるのか、それとも物理的に怖いのか。しかし、女はもっとアナーキーだ。相手にパートナーがいようがいまいがお構いなしだ。女が髪振り乱したら何をしでかすかわからない。という無気味さが出ていたらさぞかし怖いと思う。氏は自身の解説で、「短編なりの書き方というのを摑んだのもこの作品でのこと。具体的には、ラスト数行がそれ」と書いている。

「憑かれる」

「男を駄目にしてしまう女」というのが面白い。女主人公の生活ぶりが子細に書かれていれば、「さげまん」女の悲劇も主人公との関係もじわじわと心に沁《し》み入るかもしれない。

幽霊譚《たん》は大好きなので、リアリティある細部を書く力を発揮して、もっといろいろな作品を書いてほしい。

「追われる」

ストーカーものの走りである。ストーカーされる女の恐怖は、その物理的な圧迫だけでなく、いったい男が自分をどうしたいのか皆目見当が付かないことにある。好きなら好きで何を求めているのか。どうすれば気が治まるのか。嫌いなら、なぜ付き纏うのか。いずれにせよ、男の偏執、このこと自体に女は恐怖する。一人の人間の脳味噌《のうみそ》のほとんどを自分の何かが占領しているというのは、薄気味悪いことだ。その「何か」が自分ではないからである。

「壊れる」

不倫している男の日常が、ささやかなことから破れていく。その発端が秀逸である。家族という人間関係と、会社における人間関係。このパラレルワールドを背負った男が、個人としてどうやって生きるのか、と問題を突きつけられているようでもある。

「誘われる」

「崩れる」同様、作者はどうしてこんなに若い母親の心理がわかるのだろうと驚嘆した。しかも、取材や聞いた話では作れない実感に満ちている。育児という母親の仕事は密室になりやすい。それが悲劇的な事件を産むことは昨今の事件でも明らかなのに、誰も書いていない。閉塞《へいそく》という名の孤独を書かせたら、貫井徳郎は一番かもしれない。

優れた作家は事件を先取りしてしまうが、作者もその一人。作家の中の無意識が自然と題材を選んでいるのだ。

「腐れる」

この作品を読んで、知人の話を思い出した。知人は、家の周囲に悪臭が漂っていると言って、庭に動物の死体が埋まっている妄想に囚われた。だから嗅覚《きゅうかく》から妄想が募る話は、リアリティがある。この作品は怖さという意味では筆頭である。作者は女性を主人公とすると、殊の外、冴《さ》え渡る。

「見られる」

従来のミステリと相容《い》れないのかどうかはわからないが、作者にも言えるのは、セクシュアルなものを極力排している、ということだ。この作品に関して言えば、もう少しセクシュアルだと不条理な怖さも増すと思う。婚約者と女主人公の関係において、なのであるが。しかし、その辺りは作者の計算あってのことだろう。都会の一人暮らしをする女性なら、誰でも一回はこの作品と似た経験を持っている。誰でもが陥りそうな穴を穿《うが》って恐怖を増している。

（二〇〇〇年七月）

角川文庫版解説

藤田香織（書評家）

本書『崩れる　結婚にまつわる八つの風景』は一九九七年七月集英社から四六判の単行本として刊行された後、二〇〇〇年七月に同社から文庫化された貫井徳郎氏初の短編集である。一九九四年十一月号の「小説すばる」に掲載された表題作を筆頭に、九六年末までに発表された八篇が収録されている。つまり、二〇一一年の現在から遡《さかのぼ》ること約十五年前に描かれた作品であることに、まずは留意して欲しい。

「十年一昔」という言葉もあるが、十五年ともなれば感覚としては大昔に近い。私は貫井氏と同年の一九六八年生まれなのだけれど、九四年といえば、まだ携帯電話も一般的ではなく（総務省の単身者を含む世帯調査によると、九四年末の普及率はわずか五・八％）、パソコンはその少し前から会社にはあったものの、個人で所有するには高価で、家族や恋人や友人と、いつでもどこでも連絡を取れる状況ではなかった。インターネットを通じて寂しさを紛らわせることも叶《かな》わず、ストーカー、DV、公園デビュー、ママ友といった言葉も広く知られてはいなかった。

「結婚」に対する観念も、現在とはかなり違っていたと記憶している。流石に女性の適齢期をクリスマスケーキに喩《たと》えることは少なくなっていたが、それでも「三十歳までには」という区切りを、多くの人が漠然と抱いていた。「でき婚」はまだ恥ずべきことで、さりとて「負け犬」だと開き直ることも許されない時代、だったのである。

そこを理解したうえで本書を読むと、主人公たちの焦りや不安、苛立《いらだ》ちや恐怖が、よりリアルに伝わってくるはず。もし仮にこれが近年、携帯もメールも当たり前、ICカードが普及した時代の話なら、「崩れる」の芳恵は家電で延々光子の「いやになっちゃう」を聞かされることもなく、バスの運転手に邪険にされることもなかっただろう。未婚率が大幅に上昇した今なら、「憑かれる」の聖美の心情もまた違っていたはず。「誘われる」の杏子は、もっと違う方法でママ友を探すこともできただろうし、「見られる」の未奈子のような汚部屋住人女子も今や決して少なくない。

しかし、だからといって本書に描かれているような「事件」が、現在ならば回避できるとは思えないのもまた事実。人の心の奥底にある負の感情は、どんなに世の中が変わっても消滅することはないだろう。妬《ねた》み、嘆き、怒り。執着、不安、疑心。自分は絶対大丈夫、と言える人などいないはず。主人公たちの置かれた状況の変化と、それでも変わらぬ心情の在り方を同時に体感できるのは、年月を経た物語ならではの読みどころと言える。

しかし、なんといっても本書の最大の魅力は、今尚《なお》、精力的かつ意欲的に作品を発表し続けている貫井氏の、作家としての類稀《たぐいまれ》な資質が再認できることだろう。

改めて記すと、作家・貫井徳郎が誕生したのは一九九三年。第四回鮎川哲也賞の最終候補となったデビュー作『慟哭』(東京創元社→創元推理文庫)は、新人離れした確かな筆力と発売当時から高く評価され、一九九九年の文庫化を機に注目を集め現在も順調に版を重ねている。見事に着地する叙述トリックはミステリー好きな読者にとってはまさに大好物の驚嘆ものであり、一般読者にとってはミステリーの面白さを教示してくれる一冊となった。が、以来、現時点での最新刊である『灰色の虹』(二〇一〇年十月/新潮社)までの二十七作で、私は一度としてそのデビュー作と「同じ」興奮や衝撃を体感したことはない。第二作の『烙印』(一九九四年/東京創元社)と、文庫化にあたり全面改稿し改題した『迷宮遡行』(二〇〇〇年/新潮文庫)でさえ、アプローチから主人公のキャラクター、語り口、物語の結末まで異なり、読後感はまるで違う作品になっている。当然、初のシリーズ作となった『失踪症候群』(一九九五年/双葉社→双葉文庫)、『誘拐症候群』(一九九八年/同)、『殺人症候群』(二〇〇二年/同)も基本設定は同じであるにもかかわらず、それぞれの「手触り」はまったく異なり、ザ・本格ミステリー!な『鬼流殺生祭』(一九九八年/講談社ノベルス→講談社文庫)と『妖奇切断譜』(一九九九年/同)は密室殺人VSバラバラ殺人。

『転生』（一九九九年／幻冬舎→幻冬舎文庫）は、心臓移植を絡めた青春恋愛ミステリーだし、『さよならの代わりに』（二〇〇四年／幻冬舎→幻冬舎ノベルス→幻冬舎文庫）は、未来から来た美少女が登場するSF青春ミステリー。『悪党たちは千里を走る』（二〇〇五年／光文社→集英社文庫）は予想だにしなかったスラップスティックコメディで、「こんな小説を貫井徳郎が書くなんて！」と大いに愉《たの》しんだ。

と、貫井氏は鮎川哲也賞という本格系ミステリーの新人賞からデビューしたにもかかわらず、その「枠」に留《とど》まることなく、幅広いジャンルの作品を発表し続けているのだが、それは意識的に自らの作風を広げようと挑み続けてきた結果であり、より多くの読者に作品を届けたいという願いがあったからだと想像するのは難くない。もちろん、それが可能だったのは、目の前のテーマとことん向き合い、表現方法を吟味し、最善と思われる形で読者に見せる文章力があってこそ。たぶん多くの読者が感じていると思うが、貫井氏は「小説を書く」ということにおいて非常に真摯《しんし》で、「職業作家」であり続けるための努力を惜しまず継続できる「才能」がある。

けれど、先に記した「類稀な資質」とは、さらにまた別のものだ。

本書には集英社文庫版に寄せられた作家・桐野夏生氏による「解説」も収められているが、そのなかで二度〈誰も書いていない〉という言葉が記されていたことを思い出して欲しい。一つは序盤、貫井氏の持つ「視線」について称賛している箇所。「崩れる」の執筆当時はまだ二十代の未婚男性だった貫井氏が、普通ならば想像することさえ不可能な中年主婦や若い母親の苛立ちや焦りを見事に描いていることに感服しこう続けている。

〈私が書きたいと思っていたものも、同様な女の荒涼であり、希望のない閉塞感だった。『崩れる』という短編集を読んだ時は、かなりの衝撃を受けたことを覚えている。誰も書いていていなかったからだ〉

「希望のない閉塞感を書きたい」と願っていた桐野氏が、そうした状況に置かれた弁当工場で働く主婦たちを主人公に据えた『OUT』を刊行したのは、まさに本書の単行本と同じ一九九七年の七月。「小説すばる」誌上で「崩れる」が大きな反響を呼んだ二年半後のことになる。もう一つは後半「誘われる」について触れた箇所。

〈「崩れる」同様、作者はどうしてこんなに若い母親の心理がわかるのだろうと驚嘆した。しかも、取材や聞いた話では作れない実感に満ちている。育児という母親の仕事は密室になりやすい。それが悲劇的な事件を産むことは昨今の事件でも明らかなのに、誰も書いていない〉

驚くではないか。今やミステリーのみならず、女子小説では定番化した観のある「育児中の母親の閉塞感」、「ママ友との距離感の苦悩」という問題は、確かに当時はまだ表面化していなかったのだ。

さらに桐野氏は〈優れた作家は事件を先取りしてしまう〉とも述べているが、本書が発売された後、「母親の閉塞感＋ママ友との距離感」以外の何ものでもない文京区幼女殺人事件や「追われる」さながらの桶川《おけがわ》ストーカー殺人事件が一九九九年に発生している。「誰も書いていない」ものを書き、「事件を先取りしてしまう」貫井氏は、だからといって狙ってそうしているわけではないだろう。ただ、自らの五感に従い、題材を選んでいるに過ぎないと私は思う。桐野氏が言う「視線」とは、単に視覚を指すのではなく、耳や鼻、舌や皮膚を通じて、貫井氏が感じ取る人と時代の気配だ（余談だけど、現時点での最新刊『灰色の虹』と、ほぼ時を同じく放送された連続ドラマ『ギルティ　悪魔と契約した女』は、冤罪《えんざい》被害者が自分を陥れた加害者たちに復讐《ふくしゅう》するというもろ被《かぶ》りな設定で、貫井氏の先見性を改めて痛感した次第）。これは、たとえどんなにアンテナを張りめぐらせてみても、研ぎ澄まされるとは限らないものなのである。

最後に。本書で貫井作品の「短編」の魅力に開眼した人は、ぜひ中編集『光と影の誘惑』（一九九八年／集英社→集英社文庫→創元推理文庫）と、約十年に渡る歳月をかけ完成した短編集『ミハスの落日』（二〇〇七年／新潮社→新潮文庫）も手に取って欲しい。前者は謎解きの快感を味わえる本格系であり、後者ではスペイン、スウェーデン、アメリカ、インドネシア、エジプトの街を舞台に驚きのどんでん返しが待ち受けるが、作品リンクにもニヤリとさせられるはず。さらに個人的におススメしたいのは、身長一八五センチ超、モデルばりのスタイルで、写真を見ただけで女性ファンが失神したという逸話をもつ容姿端麗、頭脳明晰《めいせき》なオレ様作家探偵・吉祥院慶彦が活躍する『被害者は誰?』(二〇〇三年/講談社ノベルス→講談社文庫)。吉祥院のキャラクター設定をはじめ、遊び心満載で非常に楽しい(なのに実は深い)。『慟哭』をはじめ、二〇一〇年に第六十三回日本推理作家協会賞を受賞した『乱反射』(二〇〇九年/朝日新聞出版)、第二十三回山本周五郎賞に輝いた『後悔と真実の色』(二〇〇九年/幻冬舎)など、貫井氏といえば「長編」という印象はまだまだ根強いが、いやいやどうして一寸先は分からない。

年月を重ねても一向に衰えないその五感が「今」何を捉《とら》えているのか。本書のように十年、二十年先にも気軽に楽しめ、けれど震撼《しんかん》必至な短編集が誕生することを、これからもずっと、心から待ち望んでいる。

(二〇一一年三月)

本書は二〇〇〇年七月に集英社から刊行された文庫を加筆修正し、新装版として文庫化したものです。

崩《くず》れる

結婚《けつこん》にまつわる八《やつ》つの風景《ふうけい》

貫《ぬく》井《い》徳《とく》郎《ろう》

平成23年 3月25日　初版発行
令和7年 9月25日　24版発行

発行者●山下直久

発行●株式会社KADOKAWA
〒102-8177　東京都千代田区富士見2-13-3
電話　0570-002-301（ナビダイヤル）

角川文庫 16735

印刷所●株式会社KADOKAWA
製本所●株式会社KADOKAWA

表紙画●和田三造

●お問い合わせ
https://www.kadokawa.co.jp/（「お問い合わせ」へお進みください）
※内容によっては、お答えできない場合があります。
※サポートは日本国内のみとさせていただきます。
※Japanese text only

ISBN978-4-04-354102-7　C0193

角川文庫発刊に際して

角川源義

第二次世界大戦の敗北は、軍事力の敗北であった以上に、私たちの若い文化力の敗退であった。私たちの文化が戦争に対して如何に無力であり、単なるあだ花に過ぎなかったかを、私たちは身を以て体験し痛感した。西洋近代文化の摂取にとって、明治以後八十年の歳月は決して短かすぎたとは言えない。にもかかわらず、近代文化の伝統を確立し、自由な批判と柔軟な良識に富む文化層として自らを形成することに私たちは失敗して来た。そしてこれは、各層への文化の普及滲透を任務とする出版人の責任でもあった。

一九四五年以来、私たちは再び振出しに戻り、第一歩から踏み出すことを余儀なくされた。これは大きな不幸ではあるが、反面、これまでの混沌・未熟・歪曲の中にあった我が国の文化に秩序と確たる基礎を齎らすためには絶好の機会でもある。角川書店は、このような祖国の文化的危機にあたり、微力をも顧みず再建の礎石たるべき抱負と決意とをもって出発したが、ここに創立以来の念願を果すべく角川文庫を発刊する。これまで刊行されたあらゆる全集叢書文庫類の長所と短所とを検討し、古今東西の不朽の典籍を、良心的編集のもとに、廉価に、そして書架にふさわしい美本として、多くのひとびとに提供しようとする。しかし私たちは徒らに百科全書的な知識のジレッタントを作ることを目的とせず、あくまで祖国の文化に秩序と再建への道を示し、この文庫を角川書店の栄ある事業として、今後永久に継続発展せしめ、学芸と教養との殿堂として大成せんことを期したい。多くの読書子の愛情ある忠言と支持とによって、この希望と抱負とを完遂せしめられんことを願う。

一九四九年五月三日

角川文庫ベストセラー

天使の屍
貫井徳郎

14歳の息子が、突然、飛び降り自殺を遂げた。真相を追う父親の前に立ち塞がる《子供たちの論理》。14歳という年代特有の不安定な少年の心理、世代間の深い溝を鮮烈に描き出した異色ミステリ！

北天の馬たち
貫井徳郎

横浜・馬車道にある喫茶店「ペガサス」のマスター毅志は、2階に探偵事務所を開いた皆藤と山南の仕事を手伝うことに。しかし、付き合いを重ねるうちに、毅志は皆藤と山南に対してある疑問を抱いていく……。

女が死んでいる
貫井徳郎

二日酔いで目覚めた朝、ベッドの横の床に見覚えのない女の死体があった。俺が殺すわけがない。知らない女だ。では誰が殺したのか——？（「女が死んでいる」）表題作他7篇を収録した、企みに満ちた短篇集。

9の扉
北村 薫、法月綸太郎、殊能将之、鳥飼否宇、麻耶雄嵩、竹本健治、貫井徳郎、歌野晶午、辻村深月

執筆者が次のお題とともに、バトンを渡す相手をリクエスト。9人の個性と想像力から生まれた、驚きの化学反応の結果とは⁉ 凄腕ミステリ作家たちがつなぐ心躍るリレー小説をご堪能あれ！

平成ストライク
青崎有吾、天祢 涼、乾くるみ、井上夢人、小森健太朗、白井智之、千澤のり子、貫井徳郎、遊井かなめ

平成を見つめ、令和を生きるすべての人に贈るアンソロジー！ 福知山線脱線事故、炎上、消費税、東日本大震災など——。平成の時代に起きた様々な事件・事象を、9人のミステリ作家が各々のテーマで紡ぐ。

角川文庫ベストセラー

鳥人計画　東野圭吾

日本ジャンプ界期待のホープが殺された。ほどなく犯人は彼のコーチであることが判明。一体、彼がどうして？　一見単純に見えた殺人事件の背後に隠された、驚くべき「計画」とは!?

さいえんす？　東野圭吾

「科学技術はミステリを変えたか？」「男と女の〝パーソナルゾーン〟の違い」「数学を勉強する理由」……元エンジニアの理系作家が語る科学に関するあれこれ。人気作家のエッセイ集が文庫オリジナルで登場！

殺人の門　東野圭吾

あいつを殺したい。奴のせいで、私の人生はいつも狂わされてきた。でも、私には殺すことができない。殺人者になるために、私には一体何が欠けているのだろうか。心の闇に潜む殺人願望を描く、衝撃の問題作！

ちゃれんじ？　東野圭吾

自らを「おっさんスノーボーダー」と称して、奮闘、転倒、歓喜など、その珍道中を自虐的に綴った爆笑エッセイ集。書き下ろし短編「おっさんスノーボーダー殺人事件」も収録。

さまよう刃　東野圭吾

長峰重樹の娘、絵摩の死体が荒川の下流で発見される。犯人を告げる一本の密告電話が長峰の元に入った。それを聞いた長峰は半信半疑のまま、娘の復讐に動き出す――。遺族の復讐と少年犯罪をテーマにした問題作。

角川文庫ベストセラー

夜明けの街で　東野圭吾

不倫する奴なんてバカだと思っていた。でもどうしようもない時もある――。建設会社に勤める渡部は、派遣社員の秋葉と不倫の恋に墜ちる。しかし、秋葉は誰にも明かせない事情を抱えていた……。

ナミヤ雑貨店の奇蹟　東野圭吾

あらゆる悩み相談に乗る不思議な雑貨店。そこに集う、人生最大の岐路に立った人たち。過去と現在を超えて温かな手紙交換がはじまる……張り巡らされた伏線が奇蹟のように繋がり合う、心ふるわす物語。

ラプラスの魔女　東野圭吾

遠く離れた2つの温泉地で硫化水素中毒による死亡事故が起きた。調査に赴いた地球化学研究者・青江は、双方の現場で謎の娘を目撃する――。東野圭吾が小説の常識をくつがえして挑んだ、空想科学ミステリ！

超・殺人事件　東野圭吾

人気作家を悩ませる巨額の税金対策。思いつかない結末。褒めるところが見つからない書評の執筆……作家たちの俗すぎる悩みをブラックユーモアたっぷりに描いた切れ味抜群の8つの作品集。

魔力の胎動　東野圭吾

彼女には、物理現象を見事に言い当てる、不思議な〝力〟があった。彼女によって、悩める人たちが救われていく……東野圭吾が小説の常識を覆した衝撃のミステリ『ラプラスの魔女』につながる希望の物語。

角川文庫ベストセラー

ドミノ　恩田　陸

一億の契約書を待つ生保会社のオフィス。下剤を盛られた子役の麻里花。推理力を競い合う大学生。別れを画策する青年実業家。昼下がりの東京駅、見知らぬ者同士がすれ違うその一瞬、運命のドミノが倒れてゆく！

ユージニア　恩田　陸

あの夏、白い百日紅の記憶。死の使いは、静かに街を滅ぼした。旧家で起きた、大量毒殺事件。未解決となったあの事件、真相はいったいどこにあったのだろうか。数々の証言で浮かび上がる、犯人の像は——。

チョコレートコスモス　恩田　陸

無名劇団に現れた一人の少女。天性の勘で役を演じる飛鳥の才能は周囲を圧倒する。いっぽう若き女優響子は、とある舞台への出演を切望していた。開催された奇妙なオーディション、二つの才能がぶつかりあう！

私の家では何も起こらない　恩田　陸

小さな丘の上に建つ二階建ての古い家。家に刻印された人々の記憶が奏でる不穏な物語の数々。キッチンで殺し合った姉妹、少女の傍らで自殺した殺人鬼の美少年……そして驚愕のラスト！

失われた地図　恩田　陸

これは失われたはずの光景、人々の情念が形を成す「裂け目」。かつて夫婦だった鮎観と遼平は、裂け目を封じることのできる能力を持つ一族だった。息子の誕生で、2人の運命の歯車は狂いはじめ……。